LES QUESTIONS DE LA VIE

Introduction pratique
à la foi chrétienne

Nicky Gumbel

Editions Jeunesse en Mission

"LES QUESTIONS DE LA VIE"
de Nicky Gumbel

Première édition anglaise 1991
Première édition française 1998

Copyright © Publié sous le titre original:
"Questions of Life"
This edition issued by special arrangement with
KINGSWAY PUBLICATIONS
Lottbridge Drove, Eastbourne
East Sussex BN23 6NT, England

Pour l'édition française:
Copyright © 1998
Editions Jeunesse en Mission
"La Maison"
CH - 1261 Burtigny
Tél.: 0041 / 22.366.88.33
Fax: 0041 / 22.366.41.16

Illustrations par Charlie Mackesy

ISBN 2 - 88150 - 051-x

TABLE DES MATIÈRES

AVANT-PROPOS

Ce livre arrive à point nommé. Cela faisait des années qu'un vide demeurait dans la littérature chrétienne: le voilà maintenant comblé.

D'un côté, comme le montrent de récentes statistiques, l'Eglise d'Angleterre a perdu ses membres à raison de 1 000 par semaine (à peu près un demi-million de personnes ces dix dernières années). Et 80 % d'entre eux avaient moins de vingt ans! Bien qu'un certain nombre d'églises manifestent des signes très encourageants de croissance, le portrait global du christianisme en Grande-Bretagne est plutôt triste et déprimant. Comme le montre Nicky dans ce livre, les gens sont désillusionnés face à l'Eglise institutionnelle. Et pourtant... d'un autre côté, il existe sans aucun doute un nouvel intérêt pour les choses spirituelles, les gens ne désespérant pas de trouver d'une manière ou d'une autre, ici ou là, une réponse à leur question: "Qu'est-ce que la vérité?"

"Les questions de la vie" présente Jésus-Christ de manière plaisante et passionnante, et nous fait découvrir cet homme toujours aussi captivant et très attachant dans un livre fort agréable à lire. L'approche bien documentée de Nicky Gumbel a donné lieu à un ouvrage qui invite le lecteur à une réponse de l'intelligence et du coeur. Je me réjouis de ce que tout le fruit

du précieux travail effectué par Nicky pour les cours Alpha, au moyen desquels des centaines de personnes ont été profondément touchées, soit maintenant disponible pour un public plus large. Sans aucune hésitation, je recommande très vivement ce livre fondamental et accessible à tous.

Sandy MILLAR,
Holy Trinity, Brompton.

PREFACE

Aujourd'hui, la foi chrétienne et la personne de Jésus suscitent à nouveau beaucoup d'intérêt. S'il est vrai que deux mille ans après sa naissance, près de deux milliards de personnes suivent et veulent toujours connaître ce Jésus, le fondateur de leur foi et le Seigneur de leur vie, l'intérêt renouvelé dont je parle ici est celui qui se manifeste chez des gens qui ne fréquentent pas d'église. Beaucoup se posent des questions sur Jésus. Était-il seulement un homme ou est-il le Fils de Dieu? S'il l'est, cela devrait-il affecter notre vie quotidienne?

Ce livre tente de répondre à certaines questions clefs qui sont au coeur de la foi chrétienne. Il s'appuie sur *"Alpha"*, un cours donné à l'église Holy Trinity de Brompton, pour ceux qui ne vont pas habituellement à l'église, pour ceux qui veulent en savoir plus sur le christianisme et pour les nouveaux chrétiens. Ce cours existe depuis plusieurs années et a pris un grand essor. Des centaines d'hommes et de femmes de tout âge y sont venus avec leurs nombreuses questions sur le christianisme et y ont découvert Dieu comme leur Père, Jésus-Christ comme leur Sauveur et Seigneur et le Saint-Esprit comme celui qui vit en eux.

Je voudrais remercier tous ceux qui ont lu et qui ont formulé des critiques constructives à propos du manuscrit, et je voudrais remercier Cressida Inglis-Jones d'avoir dactylographié le manuscrit original et presque toutes les révisions, avec patience, efficacité, cela en un temps record.

Nicky GUMBEL.

1

LE CHRISTIANISME: UNE RELIGION ENNUYEUSE, FAUSSE ET DÉMODÉE?

PENDANT DES ANNÉES, J'AI EU TROIS OBJECTIONS ENVERS LA FOI CHRÉTIENNE. Tout d'abord je pensais que cette religion était ennuyeuse. Quand j'allais à la chapelle de mon école, je trouvais cette religion d'une grande tristesse! J'avais de la sympathie pour Robert Louis Stevenson qui écrivit un jour dans son journal, comme si c'était un événement extraordinaire, *"Aujourd'hui, je suis allé à l'église et je n'en suis pas déprimé"*. De même, l'humoriste américain Oliver Wendell Homes, a écrit: *"Je serais peut-être rentré dans les ordres si certains membres du clergé ne m'avaient pas paru être des croque-morts"*. Pour moi, cette religion était triste, monotone, et déprimante.

De plus, cette religion me paraissait fausse. J'avais des objections intellectuelles et, étant plutôt prétentieux, je me prenais pour un déterministe logique. A quatorze ans, je rédigeai un essai en cours d'éducation religieuse dans lequel je tentais de détruire le christianisme et de démontrer que Dieu n'existait pas. Et, à ma grande surprise, il fut primé! J'avais des arguments forts et j'avais du plaisir à discuter avec des chrétiens, parce que j'étais sûr de remporter de grandes victoires.

Enfin, je pensais que la religion chrétienne tenait des propos sans pertinence. Je ne voyais pas comment des événements deux fois millénaires et qui avaient eu lieu à 3 000 kilomètres de chez moi pouvaient revêtir une quelconque importance pour ma vie, dans la Grande-Bretagne du XXᵉ siècle. Nous chantions souvent "Jérusalem", ce chant fort apprécié, qui pose la question *"Ces pieds ont-ils jadis foulé la verdure des montagnes anglaises?"* Nous savions tous que la réponse était non. Pour moi, la religion chrétienne n'avait aucun rapport avec ma vie.

Je me rends compte, maintenant, que c'était en partie de ma faute, parce que je n'avais jamais vraiment écouté ce qu'on me disait et que, de cette foi chrétienne, j'ignorais tout. De nos jours, dans notre société séculaire, beaucoup de gens ne savent pas grand-chose de la personne de Jésus-Christ, de ce qu'il a fait ou même du christianisme. Un aumônier d'hôpital fit un jour une liste de quelques réponses reçues à la question *"Désirez-vous recevoir la sainte communion?"* Voici certaines des réponses:

"Non merci, je fais partie de l'Eglise d'Angleterre."

"Non merci, j'ai demandé des Corn-flakes."

"Non merci, je n'ai jamais été circoncis." [1]

Le christianisme est loin d'être une religion ennuyeuse, elle n'est pas fausse et elle s'applique à la vie d'aujourd'hui. Elle est au contraire passionnante, vraie et pertinente. Jésus a dit *"Je suis le chemin, la vérité et la vie."* *(Jean 14:6)* Si ce qu'il dit est vrai, et je le crois, il n'y a rien de plus important dans la vie que notre réponse à Jésus-Christ.

Un but pour ce monde perdu

Hommes et femmes ont été créés pour vivre en relation avec Dieu. Sans elle, il y aura toujours une faim, un vide, un manque de quelque chose. Considérant les progrès scientifiques, le Prince Charles exprimait récemment la conviction suivante: *"Il subsiste au fond de l'âme (si j'ose utiliser ce mot), un sentiment d'anxiété persistant et inconscient qui nous dit qu'un ingrédient manque, quelque chose qui ferait que la vie soit digne d'être vécue."*

Bernard Levin, peut-être le plus grand chroniqueur de cette génération, donna un jour ce titre à l'un de ses écrits: *"La vie: une grande énigme; et pas de temps pour en découvrir le sens"*. Dans cet article, il parle du fait qu'en dépit de son grand succès en tant que chroniqueur depuis plus de vingt ans, il craignait d'être *"passé à coté de la réalité à la poursuite d'un rêve"*. Il écrit:

Pour parler franchement, ai-je le temps de découvrir, avant de mourir, la raison pour laquelle je suis né?... Je ne suis pas encore arrivé à répondre à la question, et quel que soit le nombre des années que j'ai encore devant moi, elles ne sont pas aussi nombreuses que celles que j'ai derrière moi. Il est extrêmement dangereux de laisser la question ouverte jusqu'à ce qu'il soit trop tard... pourquoi dois-je savoir pourquoi je suis né? Parce que, bien entendu, je suis bien incapable de croire que ce fut un accident; et si ce n'en fut pas un, la vie doit bien avoir un sens.[2]

Cet auteur n'est pas chrétien et il a récemment écrit: *"Pour la quatorze millième fois, je ne suis pas chrétien"*. Cela ne l'empêche pas d'être extrêmement conscient de l'insuffisance des réponses que l'on donne généralement aux questions sur le sens de la vie. Quelques années auparavant, il avait écrit:

Les pays comme les nôtres sont remplis de gens qui disposent de tous les conforts dont ils rêvent, sans parler de bénédictions non matérielles comme une vie familiale heureuse. Cela ne les empêche cependant pas de mener des vies de désespoir silencieux - ou parfois bruyant -, sans trop comprendre, sinon de réaliser qu'en eux il y a un vide qu'aucune bonne nourriture, aucune superbe voiture, aucune télévision, et qu'aucun de leurs enfants bien équilibrés, ni amis loyaux ne pourront jamais combler... et ils ont mal.[3]

Certaines personnes passent une bonne partie de leur existence à la recherche de ce qui donnerait un sens et un but à leur vie. Ainsi Léon Tolstoï, auteur de *Guerre et Paix* et *Anna Karénine*, a écrit en 1879 un livre intitulé *Confession,* dans lequel il raconte l'histoire de sa recherche du sens de la vie. Enfant, il avait rejeté le christianisme. Après l'université, il décida de profiter de la vie autant qu'il le pouvait. Il s'intégra à la société de Moscou et de Saint-Pétersbourg, buvant, vivant dans la débauche, jouant et menant une vie dépravée. Mais il n'en retira aucune satisfaction.

Ensuite, il eut pour ambition de devenir riche. Il avait hérité d'une propriété, et ses livres lui avaient rapporté beaucoup d'argent. Mais il n'en retira aucune satisfaction. Il rechercha le succès, la renommée et les honneurs. Et il les obtint. *L'Encyclopaedia Britannica* dit de lui qu'il écrivit *"l'un des deux ou trois plus grands romans de la littérature mondiale"*. Qu'en a-t-il retiré sinon une question pour laquelle il n'avait pas de réponse: *"Bravo, mais cela m'avance à quoi?"*

Il eut ensuite de l'ambition pour sa propre famille: il voulut leur offrir la meilleure vie possible. Il se maria en 1862, eut une épouse aimante et tendre, et treize enfants (qui, d'après lui, l'empêchaient de se concentrer sur sa recherche du sens de la vie!). Ses ambitions, il les avait atteintes, et il semblait comblé. Mais une question le conduisit presque au suicide:

"Existe-t-il un sens à la vie, qui ne disparaîtra pas avec mon inévitable mort?"

Il chercha une réponse dans toutes les sciences et dans toutes les philosophies. Et à la question *"Pourquoi est-ce que je vis?"*, on lui proposait invariablement cette réponse: *"Dans l'infini du temps et de l'espace, des particules infiniment petites subissent des mutations infiniment complexes."*

Autour de lui, ses contemporains ne faisaient pas face aux questions vitales, telles que: d'où est-ce que je viens?, où vais-je?, qui suis-je?, à quoi sert la vie?. Il finit par découvrir que les paysans russes avaient pu répondre à ces question grâce à leur foi en Jésus-Christ, et Léon Tolstoï finit par se rendre compte qu'en Jésus-Christ seul nous trouvons cette réponse.

Cent ans plus tard, rien n'a changé. Freddie Mercury, le chanteur de *Queen,* mort à la fin de l'année 1991, écrivit dans l'une de ses dernières chansons de l'album *The Miracle "Quelqu'un sait-il pourquoi nous vivons?"* Son immense fortune et ses milliers de fans ne l'empêchèrent pas d'être désespérément seul, comme il l'admit peu de temps avant sa mort. *"Le monde entier peut vous appartenir"*, dit-il *"et vous restez quand même l'homme le plus seul de tous. Cette solitude-là est la plus douloureuse. Le succès a fait de moi une idole mondiale et m'a rapporté des millions, mais ce succès m'a aussi privé de la seule chose dont nous avons tous besoin - une relation d'amour durable."*

Il avait raison de parler du besoin essentiel d'avoir une "relation durable". Aucune relation humaine, cependant, ne peut satisfaire pleinement ce besoin. Pas plus qu'elle ne peut être "continue". Il y a toujours quelque chose qui manque. Et c'est parce que nous avons été créés pour vivre en relation avec Dieu. Jésus a dit: "Je suis le chemin". Il est le seul qui puisse nous mettre en relation avec Dieu pour l'éternité.

Quand j'étais petit, notre famille avait une vieille télévision noir et blanc. On n'avait jamais une belle image. Elle était toujours floue. On en était cependant très content, puisqu'on n'avait rien d'autre. Et un jour nous avons su qu'il nous fallait installer une antenne sur le toit. Quel bonheur de jouir soudain d'images nettes! Et quel contraste! La vie sans relation avec Dieu par Jésus-Christ, c'est comme la télévision sans antenne. On peut en être heureux, parce qu'on ignore qu'il existe quelque chose de bien meilleur. Une relation avec Dieu donne un sens à la vie. Nous découvrons des choses jamais vues auparavant et ce serait de la folie de vouloir retourner à l'ancienne vie. Jouir d'une relation avec Dieu, c'est comprendre pourquoi nous avons été créés.

La réalité dans un monde perplexe

On entend parfois des gens dire: *"L'essentiel, dans une religion, c'est d'être sincère"*. Il est malheureusement possible d'être sincère et dans l'erreur. Adolf Hitler était sincère et dans l'erreur. Ses croyances ont détruit des millions de vies. Jack l'Eventreur croyait faire la volonté de Dieu en tuant des prostituées. Lui aussi était sincère et dans l'erreur. Ses croyances expliquent son comportement. Ces exemples extrêmes montrent bien que ce n'est pas tout de croire; mais ce que l'on croit est fondamental, car nos croyances déterminent notre façon de vivre.

D'autres personnes répondront à un chrétien *"C'est bon pour toi, mais pas pour moi"*. Cet argument n'est pas logique. Soit le christianisme est vrai pour chacun d'entre nous, soit il ne l'est pas et les chrétiens se font des illusions: c'est triste, et mieux vaut alors abandonner cette croyance le plus tôt possible. C.S. Lewis a exprimé cette idée de la manière suivante: *"Fausses, les affirmations du christianisme ne sont aucunement importantes; vraies, elles le sont infiniment. D'une importance relative, voilà ce qu'elles ne seront jamais."* [4]

Est-ce vrai? Y a-t-il des preuves? Jésus a dit *"Je suis... la vérité"*. Existe-t-il des évidences qui appuient ces prétentions? Nous aborderons certaines de ces questions plus loin. La pierre angulaire du christianisme est la résurrection de Jésus-Christ, événement historique prouvé, s'il en est. Le Professeur Thomas Arnold, directeur de la *Rugby School,* qui révolutionna l'éducation anglaise, fut nommé à la chaire d'histoire moderne à l'université d'Oxford. S'il y a un homme qui connaît la valeur des preuves qui authentifient des faits historiques, c'est bien lui; et il affirme:

Voilà des années que j'étudie l'histoire ancienne, que j'examine et que je pèse les preuves mises en avant par les rédacteurs historiques; et dans toute l'histoire de l'humanité, je ne connais aucun fait prouvé par une preuve meilleure et plus complète d'aucune sorte, et à la portée d'une intelligence moyenne, que le grand signe que Dieu nous a donné, à savoir, que le Christ est ressuscité des morts.

Comme nous le verrons plus loin, beaucoup d'évidences prouvent que le christianisme est vrai. Cependant, le *"Je suis... la vérité"* de Jésus est plus qu'une vérité intellectuelle. L'origine du mot "vérité" utilisé sous-entend la notion d'agir selon la vérité ou d'expérimenter la vérité. Il y a plus que l'acceptation intellectuelle de la vérité du christianisme: c'est la connaissance de Jésus-Christ, qui, lui, est *la* vérité.

Supposez qu'avant de rencontrer mon épouse Pippa, j'aurais lu un livre à son sujet. Après en avoir terminé la lecture, j'aurais pensé: *"Elle semble être une femme merveilleuse. C'est avec elle que je veux me marier"*. Il y aurait eu une différence énorme entre ma conviction d'alors et ma certitude d'aujourd'hui: avant, j'étais intellectuellement convaincu qu'elle était une femme merveilleuse; maintenant, après plusieurs années de mariage, je sais qu'elle est une femme merveilleuse. Quand un chrétien affirme, en parlant de sa foi, *"Je crois en Jésus"*, il ne veut pas seulement dire qu'il le connaît intellectuellement, mais aussi qu'il le connaît par expérience. Plus on est en relation avec Celui qui est la vérité, plus notre perception change, et plus nous comprenons la vérité sur le monde.

La vie dans un monde de ténèbres

Jésus a dit: *"Je suis... la vie"*. En Jésus, nous trouvons la vie, là où avant nous trouvions culpabilité, esclavage des passions, peurs et crainte de la mort. Il est vrai que chacun d'entre nous a été créé à l'image de Dieu et qu'il y a par conséquent quelque chose de noble dans chaque être humain. Cependant, nous avons tous été affectés par la chute: nous naissons avec un penchant pour le mal. Dans chaque être humain, l'image de Dieu a plus ou moins été salie et brouillée, à cause du péché. Le bon et le mauvais, la force et la faiblesse coexistent dans tous les êtres humains. Alexandre Soljenitsyne, l'écrivain russe, a écrit: *"La ligne de séparation entre le bien et le mal passe, non pas par les États, les classes, ou les partis politiques... mais par chaque coeur humain et par tous les coeurs humains."*

Avant, je pensais être quelqu'un de bien, parce que je ne commettais ni hold-up ni crimes graves. C'est seulement à partir du moment où j'ai commencé à comparer ma vie à celle de Jésus-Christ que je pris conscience de l'ampleur du mal en moi. Cette expérience a été celle de beaucoup d'autres. C.S. Lewis a écrit:

"Pour la première fois, je m'examinai sérieusement. Ce que je découvris me consterna: il y avait en moi un zoo de désirs charnels, un charivari d'ambitions, une forêt de peurs, un harem de haines bien entretenues. Mon nom était Légion".[5]

Nous avons tous besoin de pardon et seul Christ peut le donner. L'humaniste Marghanita Laski participait un jour à un débat télévisé avec un chrétien à qui elle fit une incroyable confession. Elle dit *"Ce que j'envie chez vous, chrétiens, c'est le pardon"*. Et elle ajouta, très émue *"Il n'y a personne pour me pardonner."*

Lorsque Jésus fut crucifié, il paya la rançon de tout le mal que nous avons commis. Le troisième chapitre est consacré à ce sujet. Nous verrons qu'il est mort pour faire disparaître notre culpabilité, pour nous libérer de nos esclavages, de nos craintes et enfin de la mort. Il est mort à notre place.

Le 31 juillet 1991, on commémora un événement remarquable. Le dernier jour de juillet 1941, les sirènes du camp d'Auschwitz avertirent qu'un prisonnier s'était échappé. En représailles, dix prisonniers seraient mis à mort. Enterrés vivants dans un bunker spécialement construit, les hommes devaient y mourir lentement de faim.

Pendant toute une journée, torturés par le soleil, la faim et la peur, les prisonniers attendirent, pendant que le commandant et son assistant de la Gestapo passaient entre les rangs, sélectionnant les dix de manière arbitraire. Quand le prisonnier Francis Gajowniczek fut désigné, celui-ci cria de désespoir *"Ma pauvre femme et mes enfants!"* A ce moment, un homme au visage quelconque, aux yeux enfoncés et aux lunettes rondes à la monture de fer sortit des rangs en enlevant son bonnet. *"Que veut ce cochon de Polonais?"* demanda le commandant.

"Je suis un prêtre catholique; je veux mourir pour cet homme. Je suis vieux, lui a une femme et des enfants... Je n'ai personne" dit le père Maximilian Kolbe.

"Accepté" dit le commandant, et il poursuivit sa sélection.

Cette nuit-là, dix hommes, dont un prêtre, furent emmenés au bunker. Dans de telles circonstances, les hommes se seraient déchirés comme des cannibales. Mais pas cette fois-là. Tant qu'ils avaient de la force, gisant nus sur le sol, ces hommes priaient et chantaient des cantiques. Après deux semaines, trois de ces hommes et le père Maximilian vivaient toujours. Comme le bunker devait être utilisé pour d'autres, le 14 août, on liquida les trois hommes. A 00h50, après deux semaines dans le bunker, le prêtre polonais, toujours conscient, reçut une injection de phénol et mourut. Il avait quarante-sept ans.

Le 10 octobre 1982, sur la place Saint-Pierre à Rome, on commémora la mort du père Maximilian. Francis Gajowniczek, sa femme, ses enfants et ses petits-enfants étaient parmi la foule (en effet, ce n'était pas un seul homme que le père avait sauvé). Décrivant la mort du père Maximilian, le Pape dit:

> "C'était une victoire remportée contre tous les systèmes fondés sur le mépris et la haine humaine - une victoire semblable à celle de notre Seigneur Jésus-Christ".[6]

La mort de Jésus est, en réalité, de loin encore plus merveilleuse, parce que Jésus est mort, non pour un seul homme, mais bien pour chaque individu dans le monde. Si vous ou moi avions été seul au monde, Jésus-Christ serait mort à notre place pour annuler notre culpabilité. Libérés de notre culpabilité, nous recevons une nouvelle vie.

Jésus n'est pas seulement mort pour nous, il est aussi ressuscité pour nous. Sa résurrection, c'est la défaite de la mort. Tout être rationnel (nous le sommes presque tous) est conscient du caractère inévitable de la mort. Certaines personnes, cependant, essayent d'y échapper, par des moyens bizarres. *The Church of England Newspaper* en décrit un:

> En 1960, le millionnaire californien James McGill mourut. Il laissa des instructions détaillées selon lesquelles son corps devait être gardé gelé dans l'espoir qu'un jour les scientifiques découvriraient un remède contre la maladie qui l'emporta. Des centaines de personnes (...) espèrent ainsi revivre un jour grâce à ce moyen de conservation des corps humains. Le dernier développement de cette cryotechnique est appelé la neuro-suspension qui, elle, permet de ne conserver que la tête. Une raison de sa popularité est qu'elle coûte moins cher. Cela me fait penser au film de Woody Allen, *Woody et les Robots*, où c'était le nez qu'on conservait.[7]

Ces tentatives sont absurdes et inutiles. Jésus est venu pour nous donner la "vie éternelle". La vie éternelle est une qualité de vie qui provient de notre relation avec Dieu et Jésus-Christ *(Jean 17:3)*. Jésus n'a jamais promis une vie facile, mais il a promis la vie en abondance *(Jean 10:10)*. Cette nouvelle qualité de vie commence maintenant et se poursuit dans l'éternité. Notre temps sur la terre est relativement court, mais l'éternité est sans fin. Par Jésus, qui a dit, *"Je suis... la vie"*, nous pouvons non seulement jouir d'une vie abondante ici-bas, mais nous pouvons être certains qu'elle n'aura pas de fin.

Le christianisme n'est pas une religion ennuyeuse; elle nous propose une vie abondante. Elle n'est pas fausse; elle est la vérité. Elle n'est pas démodée; elle transforme nos vies. Paul Tillich, théologien et philosophe, écrit que la condition humaine implique trois peurs: la peur de l'absence totale de sens, la peur de la mort et la peur de la culpabilité. Jésus-Christ répond à chacune d'elles. Jésus est vital pour chacun d'entre nous, parce qu'il est *"le chemin, la vérité et la vie."*

2

QUI EST JÉSUS?

UN JOUR, UNE MISSIONNAIRE TRAVAILLANT AU MOYEN-ORIENT PARMI LES enfants, tomba en panne d'essence. Elle n'avait pas de dans sa voiture. Tout ce qu'elle put trouver fut un pot de chambre. Elle marcha jusqu'à la station d'essence la plus proche et remplit ainsi son pot. Comme elle versait l'essence dans son réservoir, passa à côté d'elle une grande Cadillac conduite par un cheik, l'un de ces rois du pétrole. Les occupants furent vraiment fascinés par cette femme versant le contenu d'un pot de chambre dans le réservoir d'une jeep. L'un d'eux baissa la vitre pour lui dire *"Excusez-moi, mais mon ami et moi, bien que nous ne partagions pas votre religion, nous admirons votre foi!"*

La foi chrétienne est parfois perçue comme une foi aveugle, comme ce genre de foi qu'il faut pour croire qu'une voiture démarrera grâce au simple contenu d'un pot de chambre. Il est vrai qu'il faut faire un pas de foi, mais ce n'est pas un pas de foi fait aveuglément: c'est une foi basée sur des preuves historiques. J'aimerais examiner dans ce chapitre quelques-unes de ces preuves.

On m'a dit un jour qu'un dictionnaire russe communiste décrit Jésus comme un personnage mythologique n'ayant pas existé. Aujourd'hui, aucun historien sérieux ne défendrait ce point de vue. Il existe beaucoup de preuves de l'existence de Jésus. Ces preuves ne viennent pas seulement des Evangiles ou d'autres écrits chrétiens, mais également de sources non chrétiennes, par exemple, des historiens romains Tacite (témoin direct) et Suétone (témoin indirect) et de l'historien juif Josèphe, né en 37. Voici ce qu'il dit de Jésus et de ses disciples:

A peu près à cette époque, il y eut Jésus, un homme sage, si seulement il est juste de l'appeler un homme, car c'était un faiseur d'oeuvres merveilleuses... Il attira à lui beaucoup de Juifs et de Gentils. C'était [le] Christ; et lorsque

Pilate, sur la proposition des principaux parmi nos chefs, le condamna à la croix, ceux qui l'aimaient depuis le début ne l'abandonnèrent pas, car il leur apparut vivant le troisième jour, comme les divins prophètes l'avaient prédit, de même que dix mille autres choses merveilleuses le concernant; et la tribu des chrétiens, qui porte son nom, n'est pas éteinte à ce jour. [8]

Il existe donc, en dehors du Nouveau Testament, des preuves de l'existence de Jésus. De plus, l'évidence néo-testamentaire est imposante. On entend cependant dire que *"Le Nouveau Testament a été écrit il y a très longtemps. Comment savoir si ces écrits n'ont pas été changés depuis lors?"*

La réponse est que nous savons, très exactement au moyen de la critique textuelle, ce que les écrivains du Nouveau Testament ont écrit. Plus on a de textes, moins on peut douter du contenu des originaux. Feu le professeur F.F. Bruce montre dans son livre *Les Documents du Nouveau Testament: peut-on s'y fier?* comment le grand nombre de manuscrits attestent l'authenticité de ces documents en comparaison avec d'autres ouvrages historiques.

Le tableau ci-dessous résume les faits et montre l'étendue de l'évidence néo-testamentaire.

Ouvrage	Ecrit en	Copie la plus ancienne	Temps écoulé	Nombre de copies
Hérodote	488-428 av. J.-C.	900 apr. J.-C.	1 300 ans	8
Thucydide	env. 460-400 av. J.-C.	env. 900 apr. J.-C.	1 300 ans	8
Tacite	100 apr. J.-C.	1 100 apr. J.-C.	1 000 ans	20
Guerre des Gaules de César	58-50 av. J.-C.	900 apr. J.-C.	950 ans	9-10
Histoire de Rome Tite-Live	59 av. J.-C. - 17 apr. J.-C.	900 apr. J.-C.	900 ans	20
Nouveau Testament	40-100 apr. J.-C.	130 apr. J.-C. (manuscrits entiers 350 apr. J.-C)	300 ans	5 000+ en Grec 10 000 en Latin 9 300 autres

F.F. Bruce fait remarquer que pour la Guerre des Gaules de César, nous disposons de neuf ou dix copies dont la plus ancienne fut rédigée 900 ans après la mort de César. Pour l'Histoire Romaine de Tite Live, nous n'avons pas moins de vingt copies, la plus ancienne datant d'à peu près 900 apr. J.-C. Des quatorze livres historiques de Tacite, seulement vingt copies nous sont parvenues; des seize livres de ses Annales, dix extraits de ses deux grands ouvrages historiques dépendent entièrement de deux manuscrits, un du IXe siècle et un du XIe siècle. L'histoire de Thucydide se base presque entièrement sur huit manuscrits qui appartiennent à la période de plus ou moins 900 apr. J.-C. Même remarque pour l'Histoire d'Hérodote. Aucun savant ne doute de l'authenticité de ces ouvrages malgré un important décalage temporel et le nombre restreint de manuscrits.

En ce qui concerne le Nouveau Testament, les documents sont nombreux. Le Nouveau Testament fut sans doute rédigé entre 40 apr. J.-C. et 100 apr. J.-C. Nous possédons des manuscrits entiers d'excellente qualité qui datent de 350 apr. J.-C. seulement (décalage temporel: 300 ans), des papyrus, contenant la plupart des écrits du Nouveau Testament, qui datent du IIIe siècle et même un fragment de l'Evangile de Jean qui date de 130 apr. J.-C. Il existe plus de 5 000 manuscrits grecs, plus de 10 000 manuscrits latins et 9 300 autres manuscrits, ainsi que 36 000 citations de ces écrits par les Pères de l'Eglise. Comme le dit un des plus grands auteurs de critique textuelle, F.J.A. Hort, *"Le texte du Nouveau Testament est unique parmi les écrits anciens en prose en ce qui concerne la variété et l'intégralité de son évidence."* [9]

F.F. Bruce résume l'évidence, en citant Sir Frederic Kenyon, une référence dans ce domaine:

> L'intervalle entre les dates de composition et les premières copies est si limité qu'il devient en fait négligeable; et le dernier argument pour douter de la fidélité des récits n'est simplement plus valable. L'authenticité et l'intégrité des livres du Nouveau Testament sont ainsi établies. [10]

Par des preuves externes et internes au Nouveau Testament, nous savons maintenant que Jésus a existé. [11] Mais qui est-il? J'ai entendu Martin Scorsese dire à la télévision qu'il avait tourné *La dernière tentation du Christ* pour montrer que Jésus était un véritable être humain. Mais laissons ce sujet pour plus tard. Tout le monde sait que Jésus était un homme à part entière. Il avait un corps humain; il connaissait la fatigue *(Jean 4:6)* et la faim *(Matthieu 4:2)*. Il avait des émotions: il connaissait la colère *(Marc 11:15-17)*, il aimait *(Marc 10:21)* et il était parfois triste *(Jean 11:35)*. Il a eu des expériences humaines; il fut tenté *(Marc 1:13)*, il apprit *(Luc 2:52)*, il travailla *(Marc 6:3)* et il obéit à ses parents *(Luc 2:51)*.

Ce que beaucoup disent aujourd'hui, c'est qu'il était seulement humain, tout en reconnaissant qu'il était un grand maître religieux. Le comédien Billy Connolly se fit le porte-parole de beaucoup lorsqu'il dit *"Je ne peux pas croire aux prétentions du christianisme, mais je pense que Jésus était un homme fantastique."*

Par quelle évidence démontrerons-nous que Jésus était plus qu'un homme fantastique ou un grand enseignant? Comme nous allons le voir, la réponse s'accompagne d'une abondance de preuves qui appuient la prétention chrétienne selon laquelle Jésus était et est le Fils unique de Dieu. Véritablement, il est Dieu le Fils, la deuxième Personne de la Trinité.

Qu'a-t-il dit de lui-même?

On entend parfois dire *"Jésus n'a jamais affirmé être Dieu"*. Il est vrai que Jésus n'a jamais prononcé ces mots les uns à la suite des autres *"Je suis Dieu."* Cependant, ses affirmations et ses enseignements montrent qu'il était bien conscient d'être un homme dont l'identité était Dieu.

Il centrait ses enseignements sur lui-même

Il est fascinant de s'apercevoir que tant de ses enseignements étaient centrés sur sa personne. Voyez par exemple ce qu'il dit aux gens: *"Si vous désirez une relation avec Dieu, il faudra passer par moi" (voir Jean 14:6).* Et c'est au moyen d'une relation avec Jésus que nous rencontrons Dieu.

Au fond de lui-même, le coeur de l'homme a faim. Ce fait est reconnu par tous les grands psychologues du XXe siècle. Freud a dit *"Les hommes ont faim d'amour"*. Jung, *"Les hommes ont faim de sécurité"*. Adler, *"Les hommes ont faim de signification"*. Jésus a dit *"Je suis le pain de vie"(Jean 6:35).* En d'autres mots *"Si vous désirez apaiser votre faim, venez à moi."*

Beaucoup de gens marchent dans l'obscurité, la dépression, la désillusion et le désespoir. Ils cherchent un sens aux choses. Jésus a dit *"Je suis la lumière du monde. Celui qui me suit ne marchera pas dans les ténèbres, mais il aura la lumière de la vie" (Jean 8:12).* Plusieurs m'ont dit après leur conversion au christianisme que *"C'était comme si on avait soudain allumé la lumière et que je voyais les choses pour la première fois."*

Qui n'a pas peur de la mort? Une femme m'a dit que, quelques fois, elle n'arrivait pas à s'endormir, qu'elle se réveillait couverte de sueurs froides, tellement elle avait peur de la mort, parce qu'elle ignorait ce qui se passe après la mort. Jésus a dit *"Je suis la résurrection et la vie. Celui qui croit en moi vivra, quand même il serait mort; et celui qui vit et qui croit en moi ne mourra jamais" (Jean 11:25-26).*

Tant de personnes ploient sous les soucis, l'anxiété, la crainte et la culpabilité. Jésus a dit *"Venez à moi, vous tous qui êtes fatigués et chargés, et je vous donnerai du repos"(Matthieu 11:28).* Ces gens ne savent pas très bien comment mener leur vie ou qui ils doivent suivre. Je me souviens qu'avant d'être chrétien, parfois j'étais impressionné par telle personne ou par telle autre, et je désirais alors devenir comme elle et suivre ses traces. Jésus a dit *"Suis-moi" (Marc 1:17).*

Il a encore dit que le recevoir lui, c'était recevoir Dieu *(Matthieu 10:40),* l'accueillir, c'était accueillir Dieu *(Marc 9:37)* et l'avoir vu c'était avoir vu Dieu *(Jean 14:9).* Un jour, un enfant a fait un dessin, et sa mère lui a demandé ce qu'il représentait. L'enfant lui répondit *"Je dessine Dieu".* *"Ne sois pas sot, c'est impossible de dessiner Dieu. Personne ne sait à quoi il ressemble"* répondit sa mère. Et l'enfant de lui répondre *"On le saura quand j'aurai fini mon dessin!"* Jésus, lui, a dit *"Si vous voulez savoir à quoi Dieu ressemble, regardez-moi."*

Affirmations indirectes

Jésus a dit un certain nombre de choses qui montrent qu'il se considérait comme l'égal de Dieu, même s'il n'affirme pas être Dieu de but en blanc.

L'affirmation de Jésus disant qu'il peut pardonner les péchés est bien connue. Rappelez-vous quand il dit à un homme paralysé *"Mon enfant, tes péchés sont pardonnés".* Et la réaction des chefs religieux fut *"Pourquoi parle-t-il comme cela? Il blasphème! Qui peut pardonner les péchés, sinon Dieu seul?"* Jésus prouva qu'il possédait l'autorité pour pardonner les péchés en guérissant le paralysé. Son affirmation de pouvoir pardonner les péchés a, assurément, de quoi étonner.

C.S. Lewis l'a bien exprimé dans son livre *Les Fondements du Christianisme*:

A les entendre si souvent, nous avons tendance à ne plus saisir la portée de quelques-unes de ses prétentions. Je parle de sa prétention à pardonner les péchés, tous les péchés. A l'évidence, si celui qui parle n'est pas Dieu, ses paroles ne seront pas seulement absurdes, elles seront comiques. Qu'un homme pardonne des offenses perpétrées contre lui, on l'envisage facilement. Si vous me marchez sur le pied, je vous pardonne; si vous volez mon argent, je vous pardonne. Mais que penserions-nous d'un tiers qui annoncerait qu'il vous pardonne d'avoir marché sur les pieds d'une autre personne et d'avoir volé son argent? Une sottise, voilà ce qu'on dirait - pour rester gentil. Pourtant, c'est ce que Jésus a fait. Il a dit aux gens que leurs péchés étaient pardonnés sans prendre la peine d'aller consulter ceux que ces péchés avaient sans aucun doute offensés. Jésus s'est comporté sans hésitation comme s'il était le principal concerné, le plus offensé par le péché. Cela ne peut avoir de sens que s'il était vraiment Dieu, dont les lois ont été transgressées et dont le coeur aimant saigne à chaque péché commis. Dans la bouche de tout autre, ces paroles de pardon ne peuvent provenir que de la personne la plus stupide et la plus vaniteuse au monde, et de toute l'histoire. [12]

Une autre prétention extraordinaire de Jésus est de dire qu'un jour il jugera le monde *(Matthieu 25:31-32)*. Il reviendra, dit-il, et *"s'assiéra sur son trône de gloire" (v.31)*. Toutes les nations seront assemblées devant lui. Et il les jugera. Certaines personnes recevront la vie éternelle et l'héritage préparé pour eux depuis la création du monde; d'autres souffriront la punition d'être séparés de lui pour toujours.

Jésus a dit qu'il déciderait du sort de chacun à la fin des temps. Non seulement, il serait le Juge, mais il serait aussi le critère du jugement. Ce qui se passera le Jour du Jugement dépend de notre attitude envers lui dans cette vie *(Matthieu 25:40,45)*. Imaginez que le pasteur de votre église locale se lève un jour dans sa chaire et vous dise *"Au Jour du Jugement, vous apparaîtrez tous devant moi et je déciderai de votre destinée éternelle. Ce qui vous arrivera dépendra de la manière dont vous m'avez traité, moi et ceux qui me suivent."* Propos absurdes, si cela vient d'un simple homme. Dans la bouche de Jésus, c'est une affirmation indirecte de son identité avec le Dieu Tout-Puissant.

Affirmations directes

Quand on lui posa la question, *"Es-tu le Christ, le Fils du Dieu béni?"* Jésus répondit: *"Je le suis. Et vous verrez le Fils de l'homme assis à la droite de Dieu, et venant sur les nuées du ciel."* Alors le souverain sacrificateur déchira ses vêtements, et dit: *"Qu'avons-nous encore besoin de témoins? Vous avez entendu le blasphème. Que vous en semble?" (Marc 14:61-64)*. Dans ce récit, il apparaît que Jésus est condamné à mort pour ce qu'il a dit de lui. Se déclarer l'égal de Dieu était, chez les Juifs, un blasphème passible de mort.

Lorsque les Juifs allaient commencer à le lapider, Jésus leur demanda pourquoi ils voulaient le lapider. *"... parce que toi, qui es un homme, **tu te fais Dieu"** (Jean 10:33, gras rajouté)*. Ses ennemis avaient bien compris ce qu'il déclarait.

Lorsque Thomas, un de ses disciples, se prosterna devant Jésus en disant *"Mon Seigneur et mon Dieu" (Jean 20:28)*, Jésus ne lui a pas dit *"Non, non, non, ne dis surtout pas cela! Je ne suis pas Dieu"*. Il a plutôt dit *"Parce que tu m'as vu, tu as cru. Heureux ceux qui ont cru sans avoir vu!" (Jean 20:29)*. Il a reproché à Thomas d'être lent à comprendre.

Il faut toujours vérifier les affirmations d'un homme quand il parle de lui-même. Il peut très bien se tromper. Dans des hôpitaux psychiatriques certains se font des illusions, ils se prennent pour Napoléon ou pour le Pape.

Alors, comment pouvons-nous vérifier ce qu'affirment les gens? Par exemple, Jésus prétendit être le Fils de Dieu, Dieu venu en chair. Trois possibilités se présentent à nous. Première possibilité, s'il n'est pas ce qu'il dit, et qu'il le sait, alors c'est un imposteur, et tordu, en plus. Deuxième possibilité, il n'est pas ce qu'il dit, et il ne le sait pas; il se fait des illusions et il est fou. La troisième possibilité est qu'il est bien ce qu'il dit être, le Fils de Dieu, Dieu lui-même venu en chair.

Passons la parole à C.S. Lewis:

> Un homme, rien qu'un homme, prononçant des paroles semblables à celles de Jésus ne pourrait être un grand enseignant moral. Il pouurait être un fou (du même genre que celui qui se prendrait pour un oeuf poché),ou il est le diable de l'enfer. A chacun de juger. Soit Jésus était et est le Fils de Dieu, soit il était fou ou pire. Mais ne jetons pas un regard condescendant sur Jésus, en disant que c'était un grand enseignant à la morale élevée. Jésus ne nous a pas laissé cette alternative. Ce n'était pas son intention.[13]

L'évidence en faveur de ses dires

Afin de déterminer laquelle des trois possibilités est juste, il faut examiner l'évidence que nous possédons sur sa vie.

Ses enseignements

Personne ne nie que les enseignements de Jésus sont les plus grands jamais prononcés. Des non-chrétiens diront *"J'aime le Sermon sur la Montagne; je le mets en pratique"*. (A le lire, ils se rendraient compte que c'est plus facile à dire qu'à faire, mais au moins ils reconnaissent que ce Sermon vaut son pesant d'or).

Ecoutons ce que Bernard Ramm, professeur américain de théologie, dit des enseignements de Jésus:

> Ils sont plus lus, cités, aimés, crus et traduits que nuls autres parce que ces paroles sont les plus grandioses jamais prononcées. Leur grandeur réside en une spiritualité pure et lucide qui traite de manière claire, définitive et inégalée

des plus grands problèmes qui agitent le coeur humain... Les paroles de personne d'autre n'attirent autant que les paroles de Jésus, parce que nul autre ne peut répondre aux questions fondamentales de l'être humain comme Jésus y a répondu. Ses paroles et ses réponses ne peuvent être que celles de Dieu. [14]

Ses enseignements constituent le fondement de notre civilisation occidentale et bien des lois de la Grande-Bretagne se basent sur les enseignements de Jésus. Les hommes progressent dans tous les domaines, scientifiques et techniques, ils voyagent plus rapidement et accroissent leurs connaissances. Mais ont-ils surpassé les enseignements moraux deux fois millénaires de Jésus-Christ? Un imposteur ou un fou aurait-il pu apporter de tels enseignements?

Ses oeuvres

Jésus a dit que ses miracles prouvaient que *"le Père est en moi et que je suis dans le Père" (Jean 10:38)*.

Jésus doit certainement avoir été la plus extraordinaire personne à fréquenter. On dit parfois que le christianisme est une religion ennuyeuse. Être avec Jésus, en tout cas, n'était pas ennuyeux.

Invité à une fête, il changea l'eau en vin *(Jean 2:1-11)*. A partir du contenu d'un pique-nique qu'il multiplia, il rassasia des milliers de personnes *(Marc 6:30-44)*. Les éléments lui étaient soumis et en parlant au vent et aux vagues, il fit cesser une tempête *(Marc 4:35-41)*. Il accomplit les guérisons sensationnelles: rendre la vue aux aveugles, faire entendre et parler des sourds-muets et faire marcher les paralysés. Lors d'une visite dans un hôpital, il ordonna à un homme invalide depuis trente-huit ans de prendre son lit et de marcher *(Jean 5:1-9)*. Jésus délivra d'esprits mauvais et, à certaines occasions, ressuscita des morts *(Jean 11:38-44)*.

Ses miracles n'expliquent qu'en partie ce qui nous impressionne dans sa vie. C'était son amour, surtout pour les rejetés (lépreux et prostituées) qui semblait motiver ses actions. Mais par-dessus tout, ce fut son amour démontré à la croix (dont le chapitre suivant montre que c'est véritablement la raison de sa venue). Alors qu'on le torturait et qu'on le mettait en croix, il a dit: *"Père, pardonne-leur, ils ne savent pas ce qu'ils font" (Luc 22:34)*. Un homme mauvais ou lunatique agirait-il ainsi?

Son caractère

Le caractère de Jésus a impressionné des millions de personnes, même des non-chrétiens. Par exemple, Bernard Levin:

La nature de Christ, révélée dans le Nouveau Testament, ne perce-t-elle pas jusqu'à l'âme?... Jésus est toujours présent dans le monde entier; son message, toujours clair, sa pitié, toujours infinie, sa consolation, toujours effective, ses paroles, toujours remplies de gloire, de sagesse et d'amour.[15]

Une des descriptions du caractère de Jésus que je préfère est celle de l'ancien Chancelier Lord Hailsham. Dans son autobiographie *La porte par laquelle je suis passé*, il décrit comment Jésus s'est présenté à lui, pendant ses études universitaires:

> La première chose qu'il nous faut apprendre de lui est que l'on aurait sans nul doute été au plus haut point enchanté d'être en sa compagnie. Jésus était un homme d'une attirance irrésistible... Celui qui fut crucifié était un jeune homme vigoureux, plein de vie et de joie de vivre, le Seigneur de la Vie en personne, et plus encore le Seigneur du sourire, tellement attirant qu'on le suivait rien que pour le plaisir... Il est bon que le XXe siècle se souvienne de cet homme glorieux et joyeux dont la seule présence réjouissait ses compagnons. Non, il n'était pas un triste Galiléen, mais un véritable joueur de flûte de Hamelin entouré des cris de petits enfants heureux, riant de plaisir quand la main de Jésus les saisissait.[16]

Voici un homme dont la vie était un exemple de générosité suprême et équilibrée; d'humilité, mais pas de faiblesse; de joie, mais jamais aux dépens d'un autre; de gentillesse, mais pas d'indulgence. C'était un homme en qui même ses ennemis ne pouvaient trouver de faute et dont les amis intimes disaient qu'il était sans péché. Qui dira d'un caractère comme celui-là qu'il est tourné vers le mal, ou qu'il est celui d'un déséquilibré?

Il a accompli les prophéties de l'Ancien Testament

Donnons tout de suite la parole à Wilbur Smith, écrivain américain, spécialisé dans les thèmes théologiques:

> Le monde antique avait plusieurs moyens de déterminer l'avenir, connus sous le nom de divination. Cependant, on cherchera en vain dans toute la littérature grecque et latine quelque vraie prophétie précise et quelque grand événement à venir, ou quelque prophétie concernant un Sauveur pour la race humaine, quoique les mots prophètes et prophéties existassent à ces époques... Le mahométisme ne peut se réclamer d'aucune prophétie concernant la venue de Mahomet prononcée des centaines d'années avant sa naissance. Aucun fondateur d'une secte de l'Amérique ne peut non plus s'approprier un texte ancien prédisant de manière précise son apparition. [17]

Mais pour Jésus, on peut citer trois cents prophéties (prononcées sur 500 ans par différentes personnes), y compris vingt-neuf prophéties majeures accomplies en un seul jour - celui de sa mort. Bien que certaines de ces prophéties aient trouvé leur accomplissement partiel à l'époque du prophète lui-même, leur accomplissement ultime fut en Jésus-Christ.

Mais Jésus était-il un imposteur intelligent qui aurait décidé d'accomplir ces prophéties, histoire de montrer qu'il était le Messie annoncé dans l'Ancien Testament?

Le premier problème réside dans le nombre de prophéties à accomplir. Le deuxième est qu'il ne pourrait contrôler l'avènement de celles-ci. Par exemple, la manière exacte de sa mort a été annoncée *(Esaïe 53)*, le lieu de sa naissance et de sa sépulture *(Michée 5:2)*. Qu'aurait fait Jésus l'imposteur après s'être aperçu qu'il n'était pas né au bon endroit?

Sa résurrection

La résurrection physique de Jésus-Christ est la pierre angulaire du christianisme. Quelles preuves avance-t-on en sa faveur? Je voudrais les résumer en quatre points:

1: Il n'était plus dans le tombeau. On a avancé beaucoup de théories pour expliquer cette absence le premier jour de la pâque; aucune d'entre elles n'étant cependant très convaincante.

En premier lieu, on a suggéré que, sur la croix, Jésus n'était pas mort. Le journal *Today* titra un jour *"Jésus n'est pas mort sur la croix"*. Le docteur Trevor Lloyd Davies prétendait que Jésus vivait toujours à la descente de la croix et que plus tard, il reprit ses esprits.

Cependant, Jésus avait subi la flagellation romaine, sous laquelle plus d'un prisonnier avait déjà trouvé la mort. Il avait ensuite été cloué à la croix pendant six heures. Croyez-vous qu'après cela un homme soit capable de déplacer une lourde pierre d'une tonne et demie? D'ailleurs les soldats étaient bien convaincus qu'il était mort, sans cela, ils n'auraient pas descendu le corps. S'ils laissaient un prisonnier s'échapper vivant, c'est de leur vie qu'ils devaient payer.

En outre, lorsque les soldats virent que Jésus était déjà mort, *"...un des soldats lui perça le côté avec une lance, et aussitôt, il sortit du sang et de l'eau" (Jean 19:34).* Nous savons aujourd'hui que ce phénomène de séparation de sang coagulé et de sérum est une des preuve médicale que Jésus était bel et bien mort. Jean ne l'a pas écrit pour cette raison: il n'aurait pas pu savoir cela. Voilà qui confirme encore plus le fait que Jésus était mort.

En second lieu, on a dit que c'étaient les disciples qui avaient volé le corps de Jésus, pour ensuite lancer la rumeur de sa résurrection. Sans même prendre en compte le fait que la tombe était gardée, cette théorie est psychologiquement improbable. À la mort de Jésus, les disciples étaient déprimés et désillusionnés. Il fallait un événement extraordinaire après la mise à mort de Jésus pour transformer l'apôtre Pierre en prédicateur enflammé à la Pentecôte, entraînant la conversion de 3 000 personnes.

Et que penser de toute la souffrance que ces croyants ont endurée (flagellation, torture, même la mort)? Ces hommes auraient-ils été capables de souffrir ces choses tout en sachant pertinemment que leur histoire de résurrection était inventée? J'ai un ami, un scientifique à l'université de Cambridge qui, après un examen des évidences, se convertit au christianisme en se laissant convaincre par le fait que les disciples n'auraient jamais été d'accord de mourir pour ce qu'ils savaient être un mensonge.

En troisième lieu, on a dit que les autorités avaient volé le corps. C'est une théorie encore moins probable, car pour prouver que Jésus n'était pas ressuscité, pourquoi n'auraient-ils pas tout simplement montré son corps?

Mais la plus fascinante de toutes ces preuves du tombeau vide vient de la description que donne Jean des vêtements dans le tombeau. Dans un certain sens, les termes 'tombeau vide' ne sont pas exacts. Lorsque Pierre et Jean allèrent au tombeau, ils virent les bandes à terre: comme l'a dit l'apologiste chrétien Josh McDowell dans son ouvrage *La résurrection,* c'était *"comme la chrysalide du papillon après son envol"*.[18] C'était comme si Jésus était passé au travers. Sans surprise, nous lisons que Jean *"vit et il crut" (Jean 20:8).*

2. Les apparitions de Jésus à ses disciples. Etaient-elles des hallucinations? Selon le Larousse, une hallucination est une sensation éprouvée lorsque l'objet perçu n'est pas présent. Les hallucinations se présentent normalement chez des sujets impressionnables, imaginatifs et très nerveux, chez des malades ou des consommateurs de drogues. Les disciples n'appartenaient pas à ces catégories. Des collecteurs d'impôts, des sceptiques comme Thomas et des pêcheurs un peu bourrus ne sont pas susceptibles d'avoir ce genre d'expérience. D'autant plus que les personnes sujettes aux hallucinations en ont habituellement de manière permanente. Et comme Jésus est apparu à ses disciples à onze occasions différentes pendant six semaines et qu'ensuite, d'un jour à l'autre il a cessé, cette théorie est hautement improbable.

En outre, ce sont plus de 550 personnes qui ont vu Jésus ressuscité. Les hallucinations peuvent frapper une personne; à la rigueur deux ou trois peuvent prétendre avoir vu la même chose, mais 550...!

Enfin, les hallucinations sont subjectives. La réalité objective n'existe pas, c'est comme si les gens voyaient un fantôme. Jésus, lui, pouvait être touché, il a mangé un morceau de poisson cuit *(Luc 24:42-43)* et, à une certaine occasion, il a préparé sur un feu un déjeuner pour ses disciples *(Jean 21:1-14)*. Pierre dit *"[Ils ont] mangé et bu avec lui, après qu'il fut ressuscité des morts"* *(Actes 10:41)*. Il a longtemps parlé avec eux, leur enseignant beaucoup de choses sur le royaume de Dieu *(Actes 1:3)*.

3. L'effet immédiat. La résurrection de Jésus eut un impact considérable sur le monde. L'Eglise est née et grandissait rapidement. Comme l'exprime Michael Green, auteur de nombreux livres populaires et savants:

L'Eglise... avec, au départ, une poignée de pêcheurs sans instruction et de collecteurs d'impôts, se répandit en trois cents ans dans tout le monde connu. Cette merveilleuse histoire de révolution paisible est absolument unique. Tout cela, simplement, parce que les chrétiens ont pu dire à ceux qui les questionnaient: *"Jésus n'est pas seulement mort pour vous, Il est vivant! Le rencontrer et le découvrir ne tient qu'à vous!"* L'ayant fait, ils se joignirent à l'Eglise et l'Eglise, née d'un tombeau vide, s'est répandue partout.[19]

4. L'expérience chrétienne. Des millions de personnes ont depuis lors, quels que soient leur couleur, leur race, leur tribu, leur pays, leur continent, ou leur contexte économique, social ou intellectuel, rencontré personnellement le Christ ressuscité. Elles s'unissent toutes dans leur expérience commune de Jésus-Christ ressuscité. Wilson Carlile, chef de l'Armée du Salut en Grande-Bretagne, prêchait un jour à Hyde Park Corner, en disant *"Jésus-Christ est vivant aujourd'hui"*. *"Comment le sais-tu?"*, lui lança quelqu'un. *"Parce que ce matin, je lui ai parlé pendant une demi-heure!"* s'entendit-il répondre.

Des millions de chrétiens dans le monde font l'expérience d'une relation avec le Christ ressuscité. Ces dix-huit dernières années, moi aussi, j'ai expérimenté le fait que Jésus est vivant aujourd'hui. J'ai fait l'expérience de son amour, de sa puissance, et de la réalité d'une relation avec lui qui me convainc de son existence.

Les preuves en faveur de la résurrection de Jésus sont si nombreuses. Un ancien président de la Haute Cour de justice, Lord Darling, a dit: *"Cette vérité vivante s'appuie sur une évidence si imposante, positive et négative, factuelle et indirecte, qu'aucun jury intelligent de ce monde ne manquerait de prononcer le verdict selon lequel l'histoire de la résurrection est vraie."*[20]

Au début de ce chapitre, nous avions dit qu'il n'existait que trois possibilités réalistes à propos de Jésus: c'était et c'est le Fils de Dieu, ou bien c'est un fou ou alors il faut envisager quelque chose de pire.

L'évidence écarte l'hypothèse d'un homme fou ou pervers. Ses enseignements, ses oeuvres, son caractère, les prophéties qu'il a accomplies et sa victoire sur la mort rendent cette hypothèse absurde, illogique et irrecevable. Au contraire, ils appuient de tout leur poids en faveur d'un Jésus parfaitement conscient de son identité avec Dieu.

Laissons C.S. Lewis faire le point de la situation:

Nous voilà placés devant une alternative effrayante. L'homme dont nous parlons était (et est) ce qu'il disait, ou alors c'est un fou ou pire encore. Il ne me semble ni fou ni diabolique. Par conséquent, tout étrange, tout terrifiant, tout improbable que cela puisse paraître, il me faut voir Dieu en lui . Dieu est apparu dans ce monde, en plein territoire ennemi, sous une forme humaine.[21]

3

POURQUOI JÉSUS EST-IL MORT?

DE NOS JOURS, ON VOIT BEAUCOUP DE PERSONNES PORTER DES CROIX EN boucles d'oreille, en bracelet ou en pendentif. C'est tellement fréquent que nous n'en sommes pas choqués. Peut-être le serions-nous si nous voyions à la place de la croix une potence ou une chaise électrique: la croix était aussi une forme d'exécution, l'une des plus cruelles qui existait. Elle fut d'ailleurs abolie en 315 apr. J.-C., parce que même les Romains l'estimaient trop inhumaine.

N'empêche que la croix a toujours été le symbole de la foi chrétienne. Les évangiles consacrent une bonne partie de leurs récits à la mort de Jésus et presque tout le reste du Nouveau Testament interprète le sens de ce qui s'est passé à la croix. Le coeur même d'un service religieux chrétien, la Communion, parle du corps brisé et du sang versé de Jésus. Les églises sont également souvent construites en forme de croix. A Corinthe, l'apôtre Paul dit: *"Car je n'ai pas eu la pensée de savoir parmi vous autre chose que Jésus-Christ, et Jésus-Christ crucifié" (I Corinthiens 2:2)*. On se rappelle de l'impact de la vie des hommes ou des femmes qui ont influencé l'histoire de l'humanité. Mais l'on se souvient de Jésus, qui, plus que quiconque a changé la face du monde, non pas tant à cause de sa vie qu'à cause de sa mort.

Pourquoi? En quoi la mort de Jésus est-elle différente de celle de Socrate, de celle d'un martyr, ou encore de celle d'un héros de guerre? Et en fait, pourquoi est-il mort? Qu'est-ce que sa mort a accompli? Les écrits du Nouveau Testament nous disent que Jésus est mort *"pour nos péchés"*. Qu'est-ce que cela signifie? C'est le sujet de ce chapitre.

Quel est le plus grand besoin de l'homme?

"Je n'ai pas besoin du christianisme", entend-on parfois dire. Cela signifie en réalité: *"Je suis très heureux, ma vie est bien remplie et j'essaye d'être gentil avec les autres et de mener une bonne vie"*. Seulement, pour comprendre la mort de Jésus, il nous faut prendre un peu de recul et aborder le plus grand problème de l'homme.

Si nous sommes honnêtes, il nous faut admettre que tous nous faisons ce que nous savons être mauvais. Paul a écrit: *"Tous ont péché et sont privés de la gloire de Dieu" (Romains 3:23)*. En d'autres termes, nous sommes très loin de satisfaire aux exigences divines. Si nous nous comparons à des bandits ou à des pédophiles, ou même à nos voisins, nous penserons sans doute nous en sortir à bon compte. Mais à nous comparer à Jésus-Christ, nous comprenons combien nous sommes loin de l'idéal humain que Dieu nous a donné en exemple. Somerset Maugham a dit un jour *"Si je devais écrire toutes mes pensées et tous mes actes, on me considèrerait comme un monstre de dépravation."*

La racine du péché est la relation brisée avec Dieu *(Genèse 3)* et son résultat est que nous sommes séparés de Dieu. Comme celle du fils prodigue de la parabole *(Luc 15),* nos vies sont en grand désordre et nous sommes loin de la maison du Père. Mais, dira-t-on, *"si nous sommes tous dans le même bateau, pourquoi s'inquiéter?"* Il faut s'en inquiéter à cause de la conséquence du péché. Considérez les quatre points suivants:

La pollution du péché

Jésus a dit: *"Ce qui sort de l'homme, c'est ce qui souille l'homme. Car c'est du dedans, c'est du coeur des hommes que sortent les mauvaises pensées, les adultères, les débauches, les meurtres, les vols, les cupidités, les méchancetés, la fraude, le dérèglement, le regard envieux, la calomnie, l'orgueil, la folie. Toutes ces choses mauvaises sortent du dedans, et souillent l'homme". (Marc 7:20-23)*. Ces choses nous polluent.

"Je ne me rends pas coupable de toutes ces choses," direz-vous. Peut-être, mais une seule de ces choses suffit pour gâcher nos vies. On voudrait parfois que les Dix Commandements soient comme un choix multiple, où l'on s'en tire avec trois bonnes réponses. Mais le Nouveau Testament déclare que si nous transgressons un seul commandement de la Loi, nous sommes coupables de les avoir tous transgressés *(Jacques 2:10)*. Pour utiliser une autre image, on pourrait dire qu'il n'est pas possible d'avoir un casier judiciaire "raisonnablement vierge". à partir du moment où il ne l'est plus, il ne l'est plus. Avec nous, c'est la même chose: une faute... et nos vies sont souillées.

La puissance du péché

Nos mauvaises actions créent en nous un état d'esclavage. Jésus a dit: *"Quiconque se livre au péché est esclave du péché" (Jean 8:34).* Il est plus facile de s'en apercevoir dans certains domaines de nos vies que dans d'autres. On sait par exemple que la prise d'une drogue dure comme l'héroïne provoque rapidement un état d'accoutumance.

Sait-on seulement qu'il est possible d'être accoutumé à la mauvaise humeur, à l'envie, à l'arrogance, à l'orgueil, à l'égoïsme, à la diffamation ou à l'immoralité sexuelle? Nos pensées, notre comportement peuvent être captifs d'un état de dépendance contre lequel nous ne pouvons rien faire. Voilà l'esclavage destructeur dont Jésus parle.

L'évêque J.C. Ryle, ancien évêque de Liverpool, écrivit un jour:

> Chaque [péché] détient des foules de prisonniers malheureux, pieds et poings liés, enchaînés... Ces misérables prisonniers... se vantent parfois d'être éminemment libres... Mais il n'y a pas d'esclavage tel que celui-là. Le péché est un véritable tyran: misère et déception en chemin, désespoir et enfer en bout de course - tels sont les seuls salaires que le péché paie à ses esclaves.[22]

La peine encourue pour le péché

Quelque part, il y a dans la nature humaine un sens profond de la justice. Abus d'enfants, personnes âgées attaquées chez elles, bébés roués de coups et horreurs semblables éveillent en nous la volonté de voir les coupables être arrêtés et punis. Parfois, nous avons également un sentiment de vengeance et, ne vous en faites pas, il existe une colère parfaitement justifiable. Nous avons raison de sentir que les péchés doivent être punis, que les auteurs de tels actes ne doivent pas échapper à une punition.

Mais il n'y a pas que les péchés des autres qui méritent d'être punis, les nôtres aussi. Nous serons tous un jour confrontés au jugement de Dieu. L'apôtre Paul nous dit que *"le salaire du péché, c'est la mort" (Romains 6:23).*

Le péché nous sépare.

La mort dont Paul parle n'est pas seulement physique. Il parle aussi de la mort spirituelle, qui cause une séparation éternelle d'avec Dieu. Cette séparation commence maintenant. Le prophète Esaïe s'exclame: *"Non, la main de l'Eternel n'est pas trop courte pour sauver, ni son oreille trop dure pour entendre. Mais ce sont vos crimes qui mettent une séparation entre vous et votre Dieu; ce sont vos péchés qui vous cachent sa face et l'empêchent de vous écouter" (Esaïe 59:1-2).* Ce sont nos mauvaises actions qui dressent une barrière entre nous et lui.

Qu'a fait Dieu?

Nous devons tous faire face au problème du péché dans nos vies. Et plus nous comprenons que pour cela nous avons besoin d'aide, plus nous apprécierons ce que Dieu a fait. Le chancelier d'Angleterre, Lord Mackay de Clashfern a écrit: *"Le thème central de notre foi est le sacrifice volontaire de notre Seigneur Jésus-Christ sur la croix pour nos péchés... D'une meilleure compréhension de notre besoin viendra un plus grand amour pour le Seigneur Jésus et, par conséquent, un désir plus fervent de le servir"*. [23] La bonne nouvelle du christianisme est que Dieu nous aime et qu'il ne nous a pas laissés dans ce gâchis dont nous sommes les seuls artisans. Non, il est venu sur la terre dans la personne de son Fils Jésus pour mourir à notre place *(II Corinthiens 5:21; Galates 3:13)*. C'est ce que John Stott, auteur de plusieurs livres, appelle *"l'auto-substitution de Dieu"* ou dans les termes de l'apôtre Pierre: *"**Lui** qui a porté lui-même **nos** péchés en **son** corps sur le bois,... **lui** par les meurtrissures duquel vous avez été guéris" (I Pierre 2:24, gras rajoutés)*.

Que signifie "auto-substitution"? Dans son livre *Miracle sur la rivière Kwaï*, Ernest Gordon raconte la vraie histoire d'un groupe de prisonniers de guerre travaillant pour les chemins de fer birmans pendant la deuxième guerre mondiale. A la fin de chaque journée, on récoltait les outils. Un jour, un garde japonais cria qu'une pelle manquait et exigea de savoir qui l'avait prise. Hurlant comme un fou, pris d'une fureur paranoïaque, il ordonna que le coupable s'avançât, mais personne ne bougea. *"Qu'ils meurent tous, qu'ils meurent tous!"* cria-t-il, armant son fusil et le pointant en direction des prisonniers. A ce moment un homme s'avança et resta, silencieux, au garde-à-vous. Avec son fusil, le garde le battit à mort. Quand les autres retournèrent au camp, les pelles furent recomptées, mais cette fois, le compte était juste. Cet homme s'était avancé comme substitut pour sauver les autres.

De la même manière, Jésus vint pour être notre substitut. Pour nous, il endura le supplice de la crucifixion. Cicéron décrira la crucifixion comme *"la torture la plus cruelle et la plus odieuse"*. Déshabillé, Jésus fut attaché à un poteau pour être fouetté. Il fut flagellé avec un fouet de quatre ou cinq lanières de cuir entrelacées parcourues de morceaux d'os et de plomb pointus. Eusèbe, l'historien de l'Eglise du IIIe siècle, décrit ainsi cette torture: *"les veines du malheureux étaient découvertes et... les muscles mêmes, les tendons et les intestins étaient visibles"*. Emporté au prétoire, on lui enfonça une couronne d'épines sur la tête. Un bataillon de six cents hommes se moqua de lui, il fut frappé au visage et à la tête. Sur ses épaules sanguinolentes, on mit ensuite une lourde croix qu'il dut porter jusqu'à ce qu'il s'effondrât et Simon de Cyrène fut forcé de la porter pour lui.

Arrivé au lieu de crucifixion, on le déshabilla une fois encore. Il fut étendu sur la croix, et des clous de 15 cm de long furent plantés dans ses avant-bras juste au-dessus du poignet. Ses genoux furent pliés sur le côté de manière que les chevilles puissent être clouées entre le tibia et le tendon d'Achille. Sa croix fut élevée et plantée dans une cavité au sol. Aux yeux de tous, il pendait dans la chaleur intense, souffrant de la soif, ridiculisé par la foule. Ce fut une souffrance indicible qui dura six heures, pendant lesquelles sa vie se retirait petit à petit.

Pourtant, pour Jésus, le pire n'était pas la souffrance due au traumatisme physique, à la torture et à la crucifixion, ou même la peine émotionnelle d'être rejeté par ce monde et abandonné par ses amis, mais l'agonie spirituelle d'être, pour nous, séparé de son Père - alors même qu'il portait nos péchés.

Ce que sa mort signifie pour nous

Comme un diamant brillant, l'oeuvre de la croix comporte plusieurs facettes. A la croix, Il a désarmé les puissances du mal *(Colossiens 2:15)*; la mort et les puissances démoniaques ont été défaites. Sur la croix, Dieu a révélé son amour pour nous. Par la croix, Dieu a montré qu'il était proche de la souffrance. Il est "le Dieu crucifié" (comme le titre d'un ouvrage du théologien allemand Jurgen Moltmann). Il est venu dans notre monde, et il connaît et comprend la souffrance. Sur la croix, Jésus donne un exemple de sacrifice volontaire par amour *(I Pierre 2:21)*. Chacun de ces aspects mériterait un chapitre à lui seul, mais l'espace me faisant défaut, je voudrais me concentrer ici sur quatre images utilisées par le Nouveau Testament pour décrire l'oeuvre de Jésus sur la croix. Comme le fait remarquer John Stott, chacune d'elles concerne un domaine de la vie quotidienne.

La première image nous est fournie par un tribunal. Paul dit que par la mort de Christ, *"nous avons été justifiés" (Romains 5:1)*. La justification est un terme légal. Au tribunal, être acquitté, c'est être justifié.

Laissez-moi vous raconter une petite histoire. Fréquentant les mêmes écoles secondaires et universités, deux jeunes gens se lièrent d'amitié. Ils se perdirent ensuite de vue et chacun eut son propre cheminement. L'un devint juge et l'autre tourna de plus en plus mal, et finit par commettre un crime. Un jour, le criminel comparut devant le juge. Ce dernier reconnut son ancien ami et fut par là placé devant un dilemme. En tant que juge, il devait être juste. Mais il ne voulait pas punir cet homme, car il l'aimait. Il le condamna donc à payer l'amende prévue pour son méfait. Ensuite, quittant sa fonction de juge, il signa un chèque de la valeur de l'amende et le donna à son ami en lui disant que c'est lui qui payerait. C'est ça, l'amour.

Cela illustre ce que Dieu a fait pour nous. Selon sa justice, il nous juge, car nous sommes coupables, mais ensuite, dans son amour, son Fils Jésus-Christ, comme un simple homme, paie à notre place. De cette manière, il est "juste" (en ce que le coupable est puni) et il est "celui qui justifie" (en ce qu'il a pris sur lui - sur son Fils - la punition, nous permettant d'être libres). Il est notre Juge et notre Sauveur. Ce n'est pas une tierce personne innocente qui nous sauve, mais Dieu lui-même. En fait, c'est comme s'il nous donnait un chèque en nous disant que nous avons le choix: voulons-nous qu'il paie pour nous, ou voulons-nous faire face au jugement de Dieu pour nos fautes?

L'illustration que j'ai donnée n'est cependant pas exacte, pour trois raisons. La première est que notre condition est pire: la punition n'est pas une simple amende, mais la mort. La seconde est que notre relation est plus intime: il n'est pas question ici de deux bons amis, mais plutôt de notre Père qui est aux cieux, qui nous aime plus que tout père terrestre. La troisième raison est le coût: il était beaucoup plus élevé et n'a pas impliqué d'argent. Cela a coûté à Dieu de nous donner son Fils unique, qui a payé le prix du péché.

La deuxième image nous est donnée par le monde du marché. L'endettement n'est pas un problème propre au monde moderne; le monde antique le connaissait déjà. Un homme accablé de dettes pouvait être obligé de se vendre en esclavage pour pouvoir s'en acquitter. Imaginez-vous un homme debout sur la place du marché, s'offrant comme esclave. Pris de pitié, quelqu'un lui demande *"Combien vaux-tu ?"* Et l'homme de répondre *"100 000 francs"*. Et si le client offre de lui payer les 100 000 francs pour ensuite le laisser libre, on dira qu'il le "rachète" en payant sa "rançon".

De la même manière, pour nous, la *"rédemption... est en Jésus-Christ"(Romains 3:24)*. Par sa mort sur la croix, Jésus a payé la rançon *(Marc 10:45)*. Ainsi, nous sommes libérés du pouvoir du péché et de cette libération vient la vraie liberté. Jésus a dit *"Si donc le Fils vous affranchit, vous serez réellement libres" (Jean 8:36)*. Ce n'est pas que nous ne pécherons plus jamais, mais que l'emprise du péché sur nous a été rompue.

Billy Nolan a cinquante-huit ans. Pendant trente-cinq ans, il fut alcoolique. Pendant vingt ans, assis devant l'église Holy Trinity, à Brompton, quartier de Londres, il buvait son alcool et mendiait. Le 13 mai 1990, il s'est regardé dans un miroir et il a dit: *"Tu n'es pas le Billy Nolan que je connaissais avant"*. Pour utiliser sa propre expression, il a demandé au Seigneur Jésus-Christ d'entrer dans sa vie. Et, concluant une alliance avec lui, il promit de ne plus jamais boire d'alcool, ce qu'il fit. Aujourd'hui, sa vie est transformée, il rayonne l'amour et la joie de Christ. Je lui ai dit un jour *"Billy, tu es vraiment heureux"*. *"Je suis heureux, parce que je suis libre"* répondit-il, *"la vie est comme un labyrinthe et j'ai enfin trouvé la sortie par Jésus-Christ"*. C'est la mort de Jésus sur la croix qui a rendu possible cette libération du pouvoir du péché.

La troisième image nous vient du temple. Dans l'Ancien Testament, il existait des lois très précises sur la manière dont chaque péché devait être traité. Il y avait tout un système de sacrifices qui mettaient bien en évidence le caractère sérieux du péché et la nécessité d'en être lavé: le pécheur prenait un animal, qui devait être le plus parfait possible, mettait ses mains sur l'animal et confessait ses péchés. Cela signifiait que les péchés passaient de l'homme sur l'animal; qui était ensuite tué.

L'auteur de la lettre aux Hébreux souligne qu'il est impossible que le sang des taureaux et des boucs ôte les péchés *(Hébreux 10:4)*. C'était seulement une image, une "ombre" *(Hébreux 10:1)*. La réalité vint avec le sacrifice de Jésus. Seul le sang de Christ, notre substitut, peut enlever nos péchés, car lui seul était le sacrifice parfait, lui seul, parce qu'il a vécu une vie parfaite. Son sang nous purifie de tout péché *(I Jean 1:7)* et nous enlève la pollution du péché.

La quatrième image nous vient de la maison. Nous avons vu que la racine et le résultat du péché étaient une relation brisée avec Dieu. L'oeuvre de la croix restaure cette relation avec Dieu. Paul dit que *"**Dieu a réconcilié le monde avec lui par Christ**' (II Corinthiens 5:19,* gras rajoutés*)*. Certaines personnes caricaturent l'enseignement du Nouveau Testament en suggérant que Dieu était injuste, puisqu'il a puni Jésus, un innocent, à notre place. Mais ce n'est pas ce que le Nouveau Testament dit. Paul dit plutôt: *"Dieu était en Christ"*. C'était lui-même le substitut en la personne de son Fils.

C'est Dieu qui a fait que la relation avec lui-même est restaurée, que la séparation du péché n'est plus. Comme le fils prodigue, nous pouvons revenir au Père et expérimenter son amour et sa bénédiction. La relation ne touche pas seulement à cette vie: elle est éternelle. Un jour, nous serons avec notre Père dans les cieux et là, nous serons libres, non seulement de la punition du péché, du pouvoir du péché, de la pollution du péché et de la séparation du péché, mais aussi de la présence du péché. Voilà ce qu'a accompli la substitution de Dieu sur la croix.

Dieu nous aime infiniment et désire ardemment avoir une relation avec nous, comme un père humain désire une relation avec chacun de ses enfants. Jésus est mort pour chacun d'entre nous en particulier; il est mort pour vous et pour moi; le salut de Jésus est donc une affaire personnelle. Paul parle du *"Fils de Dieu qui m'a aimé et qui s'est livré lui-même pour moi" (Galates 2:20)*. Si vous aviez été seul au monde, Jésus serait mort pour vous. Considérer la croix de façon personnelle transforme notre vie.

Feu John Wimber, pasteur américain et responsable d'église, décrivit comment la croix était devenue pour lui une réalité personnelle:

Après avoir étudié la Bible... pendant à peu près trois mois, j'aurais pu passer un examen au sujet de la croix. Je comprenais qu'il y avait un seul Dieu qui pouvait être connu en trois personnes. Je comprenais que Jésus était pleinement Dieu et pleinement homme et qu'il était mort sur la croix pour les péchés du monde. Mais je ne comprenais pas que j'étais un pécheur. Je pensais être un bon gars. Je savais que de temps à autre je faisais des bêtises, mais je ne prenais pas conscience de la gravité de ma situation.

Un soir, Carol [son épouse] me dit: "Je crois qu'il est temps de faire quelque chose à propos de tout ce que nous avons appris". N'en pouvant croire mes yeux, je la vis ensuite s'agenouiller et commencer à prier vers ce qui me semblait être le plâtre du plafond. *"Oh Dieu,"* disait-elle, *"je suis désolée de mon péché."*

Je n'arrivais pas à le croire. Carol était bien meilleure que moi, et voilà qu'elle pensait être une pécheresse! Je sentais sa peine et la profondeur de ses prières. Elle se mit bientôt à pleurer et répétait *"Je suis désolée de mon péché"*. Six ou sept personnes étaient dans la pièce, toutes gardaient les yeux fermés. Je les regardai et soudain je réalisai: ils ont tous fait cette prière aussi! Je commençai à transpirer à grosses gouttes. J'avais l'impression que j'allais mourir. La sueur coulait de mon front et je me disais: *"Jen'ai pas l'intention de faire ça, c'est de la folie, je n'ai rien à me reprocher"*. A ce moment-là, je compris quelque chose: elle ne priait pas le plafond, mais une personne, un Dieu qui l'entendait. En comparaison à lui, elle savait qu'elle était pécheresse, elle savait qu'elle avait besoin de pardon.

En un éclair, la croix prit un sens pour moi. Soudainement, je sus ce que je n'avais jamais su avant: j'avais heurté les sentiments de Dieu. Il m'aimait et dans son amour pour moi, il avait envoyé Jésus, mais je m'étais détourné de cet amour; je l'avais fui toute ma vie. J'étais un pécheur, et la croix me manquait désespérément.

Alors moi aussi, je m'agenouillai, sanglotant, le nez coulant, les yeux en larmes, chaque centimètre carré de mon corps transpirant abondamment. J'eus cette sensation nette de parler avec quelqu'un qui avait été avec moi toute la vie, mais que j'avais refusé de reconnaître. Comme Carol, je commençai à parler au Dieu vivant, lui disant que j'étais un pécheur; mais les seuls mots qui sortaient de ma bouche étaient: '*"Oh Dieu, oh Dieu."*

Je savais qu'une révolution était en train de se produire en moi. Je pensais: *"J'espère que ça marche, parce que je suis en train de me ridiculiser"*. Le Seigneur me remit alors à l'esprit une scène qui s'était passée des années auparavant à Pershing Square, à Los Angeles. J'y avais vu un homme portant un insigne sur lequel était écrit: *"Je suis un fou pour Christ. Et toi, de qui es-tu le fou?"* A l'époque, j'avais pensé: *"C'est bien la chose la plus imbécile que j'aie jamais vue"*. Mais en m'agenouillant, je pris conscience de l'exactitude de ces mots: *" la prédication de la croix est une folie pour ceux qui périssent"* (*I Corinthiens 1:18*). Ce soir-là, je me suis agenouillé à la croix et j'ai cru en Jésus. Depuis, je suis un fou pour Christ.[24]

Si vous n'êtes pas certain d'avoir jamais vraiment cru en Jésus, voici une prière qui vous aidera à commencer une vie chrétienne et à recevoir tous les bénéfices de sa mort.

Père céleste, je suis désolé du mal que j'ai commis dans ma vie. [Prenez quelques instants pour demander son pardon pour toute chose spécifique qui vous vient à l'esprit.]

S'il te plaît, pardonne-moi. Je me détourne maintenant de tout ce que je sais être mauvais.

Merci d'avoir envoyé ton Fils Jésus pour mourir à la croix pour moi. Merci de me pardonner et de me libérer. Dès maintenant, je vais te suivre et t'obéir; tu seras mon Seigneur.

Je t'en prie, viens dans ma vie par ton Saint-Esprit pour être avec moi pour toujours. Merci d'avoir envoyé ton Fils Jésus pour mourir à la croix pour moi.

Par Jésus-Christ, notre Seigneur. Amen.

4
COMMENT ÊTRE CERTAIN DE SA FOI?

LA VIE NE POUVAIT PAS ÊTRE MEILLEURE QUAND J'AVAIS DIX-HUIT ANS, À bien des égards. J'étais au milieu de ma première année d'université, je m'amusais, et il me semblait quant à l'avenir que toutes les options étaient possibles. Le christianisme ne m'attirait pas, bien au contraire. Je pensais que si je devenais chrétien, la vie deviendrait ennuyeuse, et Dieu voudrait que j'arrête de m'amuser pour faire toutes sortes de choses religieuses pénibles.

Mais d'un autre côté, en étudiant les évidences en faveur du christianisme, je fus convaincu que tout ça était vrai. Je pensai remettre ma décision à plus tard pour profiter de la vie et ne devenir chrétien que sur mon lit de mort. Pourtant je savais que je ne pouvais faire cela tout en restant intègre. A contrecoeur, je donnai ma vie à Christ.

Ce que je n'avais pas compris, c'est que le christianisme est une relation avec Dieu, avec un Dieu qui nous aime et qui ne veut pour nous que le meilleur. J'ai été "surpris par la joie" (pour utiliser le titre d'un livre, car c'est ainsi que C.S. Lewis qualifie sa propre expérience chrétienne). Ce fut le début de la plus passionnante des relations, et même, ce fut le début d'une nouvelle vie. Comme Paul le dit: *"Si quelqu'un est en Christ, il est une nouvelle créature: les choses anciennes sont passées, voici que toutes choses sont devenues nouvelles" (II Corinthiens 5:17).* Il m'arrive de retenir ce que les gens disent ou écrivent à propos de leur nouvelle vie en Christ. En voici deux exemples:

"L'espoir a remplacé le désespoir. Je peux maintenant pardonner, alors qu'avant je restais froid... Dieu est tellement vivant pour moi. Je peux le sentir me guider; et cette profonde et totale solitude que je ressentais n'est plus. Dieu a rempli un abîme."

"Dans la rue je voulais embrasser tout le monde... Je ne pouvais pas m'empêcher de prier, j'ai même raté mon arrêt de bus tellement je priais."

Les expériences varient d'une personne à l'autre. Pour les uns, la différence est immédiate, tandis que pour d'autres, elle se fait sentir progressivement. L'important n'est pas tant l'expérience que le fait de recevoir Christ, de devenir enfant de Dieu. C'est le départ d'une nouvelle relation. Comme l'écrit l'apôtre Jean: *"A tous ceux qui l'ont reçue [la parole], à ceux qui croient en son nom, il a donné le pouvoir de devenir enfants de Dieu" (Jean 1:12).*

De bons parents veulent s'assurer que leurs enfants ont une bonne relation avec eux. De la même manière, Dieu veut que nous soyons sûrs de notre relation avec lui. J'ai cependant découvert que bien des personnes ne sont pas sûres d'être chrétiennes. Aux participants du cours Alpha, j'ai un jour demandé de remplir un questionnaire dont l'une des questions était: *"Au début du cours, vous considériez-vous comme chrétien?"* Voici certaines des réponses:

"Oui, mais sans réelle expérience avec Dieu."

"En quelque sorte."

"Sans doute. Je pense bien."

"Pas sûr. Probablement."

"Plus ou moins."

"Oui - quoiqu'avec le recul, sans doute pas."

"Non, à moitié chrétien."

Le Nouveau Testament est très clair à ce sujet: il nous est possible de savoir si nous sommes chrétiens et si nous possédons la vie éternelle. L'apôtre Jean écrit: *"Je vous ai écrit ces choses, afin que vous **sachiez** que vous avez la vie éternelle, vous qui croyez au nom du Fils de Dieu"* (I Jean 5:13, gras rajouté).

Tel un trépied, l'assurance de notre relation repose sur les trois membres de la trinité: les promesses du Père dans sa parole, le sacrifice du Fils pour nous sur la croix et l'assurance de l'Esprit dans nos coeurs. Examinons ces trois points: la parole de Dieu, l'oeuvre de Jésus et le témoignage du Saint-Esprit.

La parole de Dieu

S'il fallait se fier à nos sentiments, on ne serait jamais sûr de rien. Nos sentiments sont en dents de scie, ils dépendent d'un tas de choses, comme du temps qu'il fait ou de ce que l'on a mangé au petit déjeuner; ils sont changeants, trompeurs. Les promesses de la Bible, la parole de Dieu, elles, ne changent pas, nous pouvons nous y fier totalement.

La Bible contient beaucoup de grandes promesses et il y a un verset qui m'a bien aidé au début de ma vie chrétienne: il se trouve dans le dernier livre de la Bible, l'Apocalypse. Dans une vision, Jean a vu Jésus parler à sept églises. à l'église de Laodicée, Jésus a dit: *"Voici, je me tiens à la porte et je frappe. Si quelqu'un entend ma voix et ouvre la porte, j'entrerai chez lui, je souperai avec lui et lui avec moi"* (Apocalypse 3:20).

Débuter dans la vie chrétienne peut se décrire de beaucoup de manières: "devenir chrétien", "donner sa vie à Christ", "recevoir Christ", "inviter Jésus dans sa vie", "croire en lui", "ouvrir la porte à Jésus", et j'en passe. Toutes décrivent la même réalité: Jésus entre dans nos vies par son Saint-Esprit, comme le dit le verset cité plus haut.

L'artiste-peintre préraphaélique Holman Hunt (1827-1910), inspiré par ce verset, a peint *"La lumière du monde"*. Il en a peint trois versions. L'une d'entre elles est exposée au Keble College d'Oxford; une autre à la Galerie d'Art de Manchester City; la plus connue fit le tour des colonies en 1905-1907 et fut présentée à la Cathédrale Saint-Paul en juin 1908, où elle se trouve encore. La première version n'enflamma pas les enthousiasmes. Mais le 5 mai 1854, l'artiste et critique John Ruskin écrivit au *Times* pour expliquer en détail le symbolisme du tableau; et il le défendit brillamment en disant que c'était là "une des oeuvres les plus nobles de l'art sacré jamais produites."

Jésus, la lumière du monde, se tient devant une porte, tapissée de lierre et envahie par les mauvaises herbes. Cette porte représente la vie d'un homme. Cet homme ou cette femme n'a jamais invité Jésus dans sa vie, mais Jésus se tient à la porte et frappe, attendant une réponse. Il veut entrer et faire partie de la vie de cette personne. En oubliant de peindre une poignée à la porte, on dit un jour à Holman Hunt qu'il avait fait une faute. Mais celui-ci répliqua: "Oh non! c'est un oubli délibéré. Il n'y a qu'une poignée et elle se trouve à l'intérieur."

En d'autre termes, c'est à nous d'ouvrir la porte. Jésus ne s'imposera jamais. Si nous ouvrons, il nous promet: "J'entrerai chez lui, je souperai avec lui et lui avec moi". Partager un repas est un signe d'amitié, et Jésus l'offre à tous ceux qui lui ouvrent la porte de leur vie.

Jésus nous promet, si nous l'invitons, de ne jamais nous quitter. Il a dit aux disciples *"Je suis avec vous tous les jours" (Matthieu 28:20)*. Que nous lui parlions ou non, que nous soyons seuls ou avec un ami, cela ne nous empêchera pas d'être conscients de sa présence. Voilà ce que signifie: *"Je suis toujours avec vous"*.

La promesse de sa présence est liée à une autre, que l'on trouve dans le Nouveau Testament. Jésus promet à ses disciples de leur donner la vie éternelle *(Jean 10:28)*. Comme nous l'avons vu plus haut, "la vie éternelle"est une qualité de vie qui provient de notre relation avec Dieu par Jésus-Christ *(Jean 17:3)*. Elle commence maintenant, quand nous expérimentons la plénitude de la vie que Jésus est venu donner *(Jean 10:10)*. Non seulement la recevons-nous pour cette vie, mais aussi pour l'éternité.

La résurrection de Jésus a beaucoup d'implications. Tout d'abord, elle nous certifie le passé; ce que Jésus a fait sur la croix est réel. "La résurrection n'est pas le revers d'une défaite, mais la proclamation d'une victoire". [25] Ensuite, elle nous atteste le présent: Jésus est vivant. Sa puissance est avec nous, nous donnant la vie avec plénitude. Et enfin, elle nous assure de l'avenir. Il y a une vie après la mort du tombeau. L'histoire n'est pas dénuée de sens, ou cyclique: elle aura une fin glorieuse.

Un jour, Jésus reviendra pour établir de nouveaux cieux et une nouvelle terre *(Apocalypse 21:1)*. Ceux qui sont en Christ seront avec le Seigneur pour toujours *(I Thessaloniciens 4:17)* et il n'y aura plus ni pleurs, ni tort, ni tentation, car le péché ne sera plus; la souffrance et la séparation d'avec nos bien-aimés ne seront plus, nous verrons Jésus face à face *(I Corinthiens 13:12)*; des corps glorieux et parfaits nous seront donnés *(I Corinthiens 15)*, nous serons transformés, semblables à Jésus-Christ *(I Jean 3:2)*. Le ciel sera un lieu de joies intenses et de délices infinis. Certains ont ridiculisé l'idée du ciel suggérant que ce serait monotone et ennuyeux. Mais la Bible dit: *"Ce sont des choses que l'oeil n'a point vues, que l'oreille n'a point entendues, et qui ne sont point montées au coeur de l'homme, des choses que Dieu a préparées pour ceux qui l'aiment" (I Corinthiens 2.9 citant Esaïe 64:9).*

Comme le dit C.S. Lewis, dans *The Last Battle.*

Le semestre est fini: les vacances ont commencé. Le rêve s'est terminé: voici le matin... leur vie entière dans ce monde... ne représente que la page de couverture et la page de garde. Maintenant vient enfin le Chapitre 1 de la Grande Histoire que nul sur terre n'a lue et qui se poursuit pour l'éternité: histoire où chaque chapitre est meilleur que le précédent.[26]

L'oeuvre de Jésus

A l'université, je tombai un jour sur un livre intitulé *Paradis, me voilà!* Comme beaucoup, je me disais: *"Quel titre arrogant!"* Il en aurait été ainsi si cette inimaginable assurance ne reposait que sur nous. Et il est vrai que si mon entrée au ciel dépendait du fait que j'aie mené une bonne vie, je n'aurais aucune chance d'y accéder.

La merveilleuse nouvelle est que cela ne dépend pas de moi, mais bien de ce que Jésus a fait pour moi. La vie éternelle est un don, grâce à l'oeuvre de la croix *(Jean 10:28).* Un don ne s'achète pas, il se reçoit avec reconnaissance.

Bien que la vie éternelle soit gratuite, elle n'est pas pour autant bon marché. Le prix en a été la vie de Jésus. Si nous désirons recevoir ce don, nous devons être prêts à tourner le dos à tout ce que nous savons être mauvais, à ces choses qui nous font du mal et qui mènent tout droit à la mort. *(Romains 6:23)* Lorsque l'on s'en détourne, la Bible appelle cela la repentance (littéralement *"changer d'avis"*).

Nous pouvons accepter ce don par la repentance et la foi.

Qu'est-ce que la foi? John Patten (1824-1907), un écossais de Dumfriesshire, est un jour parti dans les îles du Sud Ouest du Pacific pour parler de Jésus aux autochtones. Les habitants de ces îles étaient cannibales et sa vie était constamment en danger. Patten décida de travailler à une traduction de l'Evangile de Jean, mais se rendit vite compte qu'il n'existait pas de mot dans leur langue équivalent à *"croyance"* et *"confiance".* Personne ne se faisait confiance là-bas. Mais il finit par découvrir un moyen pour trouver le mot qu'il cherchait. Un jour, lorsque son employée de maison entra dans la pièce, Patten s'assit bien au fond de son fauteuil, leva ses pieds du sol et demanda, "Que suis-je en train de faire?" L'employée répondit en utilisant un terme qui signifie *"s'appuyer de tout son poids sur"*. Ce fut l'expression que Patten utilisa. La foi, c'est s'appuyer de tout son poids sur Jésus et sur ce qu'il a fait pour nous à la croix.

Jean François Gravelet (1824-1897), mieux connu sous le nom de Blondin, était un célèbre acrobate équilibriste. Il était le plus réputé pour ses fameuses traversées sur une corde de 335 m suspendue à 50 m au-dessus des chutes du Niagara . Ses exploits étaient observés par de grandes foules; il commençait souvent en traversant simplement avec un contrepoids. Puis il jetait le contrepoids et surprenait le public par ses acrobaties. Un jour de 1860, une délégation royale de Grande-Bretagne se déplaça pour voir les performances de Blondin. Il traversa la corde une première fois sur des échasses, ensuite il le fit les yeux bandés; une autre fois il s'arrêta à mi-chemin pour cuire une omelette et la manger. Puis il fit traverser une brouette d'un côté à l'autre sous les acclamations de la foule. Il mit ensuite un sac de pommes de terre dans la brouette et lui fit refaire le chemin. La foule l'acclama plus fort encore. Il aborda enfin la délégation royale et demanda au Duc de Newcastle, "Pensez-vous que je serais capable de traverser les chutes avec un homme dans cette brouette?"

"Oui, je le pense", dit le Duc.

"Dans ce cas, montez!" répliqua Blondin. La foule se fit soudain silencieuse, mais le Duc de Newcastle refusa de relever le défi de Blondin.

"Y a-t-il quelqu'un d'autre ici qui croit que je peux le faire?" demanda Blondin. Personne ne se manifesta. Enfin, une vieille femme sortit de la foule et grimpa dans la brouette. Blondin lui fit faire la traversée dans les deux sens. Cette femme était la mère de Blondin, et c'était la seule personne prête à remettre sa vie entre ses mains. La foi n'est donc pas seulement quelque chose d'intellectuel, elle exige que nous fassions un pas concret lorsque nous mettons notre confiance en Jésus.

Si nous acceptons le don de Dieu, nous ne pouvons garder cela sous silence. Nous devons être prêts à être reconnus comme étant chrétiens *(Romains 10:9,10)* et à nous identifier avec le peuple de Dieu *(Hébreux 11:25)*. Nous ne gagnons pas notre salut par la repentance, la foi et la reconnaissance publique, mais ce sont les moyens par lesquels nous acceptons le salut, ce don gratuit. Ce n'est pas nous qui l'avons gagné, mais Jésus.

Tout commence avec l'amour de Dieu pour nous: *"Car Dieu a tant aimé le monde, qu'il a donné son Fils unique, afin que quiconque croit en lui ne périsse pas, mais qu'il ait la vie éternelle" (Jean 3:16)*. Nous méritons tous de "périr", mais Dieu, dans son amour pour nous, voyant notre situation misérable, donne son Fils unique, Jésus, pour qu'il meure pour nous. Le résultat de sa mort est la vie éternelle offerte à tous ceux qui croient.

Sur la croix, Jésus a pris sur lui tout ce qu'il y a de mauvais en nous. C'est le livre d'Esaïe qui, des centaines d'années avant que cela ne se réalise, prophétise que le "serviteur souffrant" ferait ces choses: *"Nous étions tous errants comme des brebis, chacun suivait sa propre voie; et l'Eternel a fait retomber sur lui [sur Jésus] l'iniquité de nous tous"* (Esaïe 53:6).

Le prophète dit que tous, nous avons fait le mal, que tous nous suivions notre propre voie. Le prophète dit ailleurs que le mal que nous faisons cause une séparation entre nous et Dieu *(Esaïe 59:1-2)*. Voilà pourquoi Dieu semble si lointain. Une barrière entre lui et nous nous empêche d'expérimenter son amour.

Mais Jésus n'a jamais rien fait de mal. Il a vécu une vie sans tache. Il n'existait aucune barrière entre lui et son Père. Sur la croix, nos mauvaises actions ("nos iniquités") ont été transférées sur Jésus. *"L'Eternel a fait retomber sur lui les fautes de nous tous"*. Ceci explique le cri de Jésus sur la croix *"Mon Dieu, mon Dieu, pourquoi m'as-tu abandonné?"* (Marc 15:34). A cet instant-là, il fut séparé de Dieu, non à cause de ses mauvaises actions, mais à cause des nôtres.

La barrière entre Dieu et nous a été ôtée (pour ceux qui acceptent personnellement l'oeuvre de Jésus). Cette oeuvre nous assure le pardon de Dieu; notre culpabilité est enlevée, et nous sommes certains de ne jamais être condamnés. Comme le dit Paul: *"Il n'y a plus de condamnation pour ceux qui sont en Christ Jésus"* (Romains 8:1). Voilà la deuxième raison de notre assurance d'avoir la vie éternelle - à cause de l'oeuvre accomplie pour nous par Jésus, par sa mort sur la croix.

Le témoignage de l'Esprit

Quand un homme devient chrétien, le Saint-Esprit de Dieu vient habiter en lui. Parmi les activités du Saint-Esprit, citons-en deux qui nous aident particulièrement à nous assurer de notre foi en Christ.

La première est qu'il nous transforme de l'intérieur: il produit le caractère de Jésus dans nos vies. C'est ce qu'on appelle *"le fruit de l'Esprit est l'amour, la joie, la paix, la patience, la bienveillance, la bonté, la fidélité, la douceur, la tempérance" (Galates 5:22)*. A partir du moment où l'Esprit saint entre dans nos vies, ces fruits commencent à croître.

Notre caractère changera et les autres s'en apercevront, même si ces changements ne s'opèrent pas du jour au lendemain. Laissez-moi vous en donner une petite illustration. Nous avons planté un poirier dans notre jardin et presque quotidiennement, j'allais voir s'il avait porté du fruit. Un jour, un de mes amis (l'auteur des dessins de ce livre), m'a fait une petite blague: il a pendu une grosse pomme bien verte sur le poirier, avec du fil de coton, mais je ne me suis pas laissé avoir. Mes connaissances limitées en jardinage m'avaient quand même appris que les fruits ne poussent pas du jour au lendemain (et que les poiriers ne produisent pas de pommes). Ceci dit, les autres remarqueront que peu à peu nous sommes plus aimants, plus joyeux, plus paisibles, plus patients, plus bienveillants et plus tempérants.

Nos relations avec Dieu et avec les autres changeront aussi, alors qu'un nouvel amour pour lui - Père, Fils et Saint-Esprit - germera en nous. Par exemple, nous réagirons différemment au nom de "Jésus". Personnellement, avant d'être chrétien, j'éteignais la radio ou la télévision dès qu'on commençait à parler de Jésus-Christ. Et maintenant, depuis ma conversion, j'ai tendance à monter le volume, parce que mon attitude envers lui a complètement changé. Cela n'est bien sûr qu'un petit signe de mon nouvel amour pour lui.

Notre attitude vis-à-vis des autres change aussi. Bien souvent, les nouveaux chrétiens disent qu'ils se surprennent à remarquer le visage des gens dans la rue ou dans le bus. Avant, ces choses ne les intéressaient pas, mais maintenant qu'ils se soucient des autres, ils remarquent ceux qui ont l'air tristes ou perdus (et ils sont nombreux!). Personnellement, une des plus grandes différences que j'ai pu constater a été mon attitude envers les autres chrétiens. Avant, j'avais plutôt tendance à éviter tout contact avec eux. Après, j'ai découvert que finalement ils n'étaient pas si horribles que ça! J'ai tissé des liens d'amitié très solides avec certains d'entre eux, une chose d'ailleurs que je n'avais jamais expérimentée de ma vie jusque-là.

En second lieu, en plus de ces changements visibles, le Saint-Esprit nous fait expérimenter Dieu à l'intérieur de nous-mêmes: l'Esprit saint crée une conviction personnelle profonde que nous sommes enfants de Dieu *(Romains 8:15-16)*. Cette expérience varie cependant selon les personnes.

Carl Tuttle est un pasteur américain issu d'un foyer brisé. Il eut une enfance malheureuse et son père abusait de lui. Après sa conversion, il eut un jour le vif désir d'entendre Dieu lui parler. Il décida de se retirer à la campagne où, pendant toute une journée, il voulait prier sans interruption. Le voilà qui arrive et qui commence à prier. Mais après un quart d'heure seulement, il eut le sentiment que cela ne le menait nulle part. Il repartit chez lui fort déçu et déprimé. En arrivant, il dit à sa femme: *"Je vais voir Zacharie"* (leur enfant de deux mois). Et là, dans sa chambre, le tenant dans ses bras, il ressentit un amour indicible pour son fils, qui le fit pleurer. *"Zacharie"*, lui dit-il, *"je t'aime, je t'aime de tout mon coeur. Quelles que soient les circonstances, je ne te ferai jamais de mal, je te protègerai toujours. Je serai toujours ton père, toujours ton ami, je prendrai toujours soin de toi, toujours je t'encouragerai, même si tu te rends coupable de grands péchés, quoi que tu fasses, que tu me renies ou que tu renies Dieu"*. Carl comprit soudain qu'il était entre les mains de Dieu et que Dieu lui disait: *"Carl, tu es mon fils et je t'aime. Quoi que tu fasses, où que tu ailles, je prendrai toujours soin de toi, tu auras toujours ce dont tu as besoin, partout, je te guiderai"*.

Ainsi, le Saint-Esprit rend témoignage à notre esprit que nous sommes enfants de Dieu *(Romains 8:16)*. La conviction du Saint-Esprit est la troisième manière par laquelle nous savons que nous sommes en relation avec Dieu, que nos péchés sont pardonnés et que nous avons la vie éternelle. Cette conviction est objective en ce que notre caractère et nos relations elles-mêmes changent, et subjective de par cette conviction intime d'être enfants de Dieu.

La parole de Dieu, l'oeuvre de Jésus et le témoignage du Saint-Esprit assurent les croyants en Jésus qu'ils sont enfants de Dieu et qu'ils possèdent la vie éternelle.

Cette assurance n'est pas de l'arrogance. Elle s'appuie sur les promesses de Dieu, sur la mort significative de Jésus et sur l'oeuvre du Saint-Esprit dans nos vies. Cette confiance absolue dans notre relation avec le Père, cette assurance du pardon, cette certitude que nous sommes chrétiens et que nous possédons la vie éternelle sont quelques-uns des privilèges dont nous jouissons en tant qu'enfants de Dieu.

5

LIRE LA BIBLE: POURQUOI ET COMMENT ?

C'ÉTAIT LE SOIR DE LA SAINT-VALENTIN DE L'ANNÉE 1974. JE REVENAIS d'une fête et j'étais maintenant assis dans ma chambre au collège lorsque mon meilleur ami revint en compagnie de son amie (aujourd'hui sa femme) pour me dire qu'ils étaient devenus chrétiens. Alarmé, je crus que la secte Moon les avait embobinés et qu'ils avaient besoin de mon aide.

A cette époque-là, j'étais parfois athée, parfois agnostique, incertain de mes propres croyances. J'avais été baptisé et confirmé, mais cela ne signifiait pas grand-chose à mes yeux. A l'école, j'avais régulièrement assisté aux services religieux et étudié la Bible dans des cours de religion. Mais j'avais fini par tout rejeter, et j'avais même des arguments forts (du moins, je le pensais) contre le christianisme, que j'utilisais contre les chrétiens.

Et maintenant, je voulais aider mes amis. J'ai d'abord pensé commencer une recherche approfondie sur le sujet. Je fis des plans pour lire le Coran, Karl Marx, Jean-Paul Sartre (le philosophe existentialiste) et la Bible. Comme je possédais un exemplaire poussiéreux de la Bible sur mes étagères, je la pris ce soir-là et en commençai la lecture. Je lus tout Matthieu, Marc, Luc et, tombant de sommeil, je ne lus que la moitié de l'évangile de Jean. A mon réveil, je le terminai pour poursuivre la lecture des Actes, des épîtres aux Romains et des deux épîtres aux Corinthiens. Cette lecture me passionnait. Alors qu'avant, ces mêmes textes ne me disaient rien, cette fois-ci, ils étaient pleins de vie et je ne pouvais tout simplement plus m'arrêter. C'était la vérité, je le reconnaissais au fond de moi. Et je devais prendre position, car ces textes m'interpellaient avec beaucoup de force. Très peu de temps après, je mis ma foi en Jésus-Christ.

Depuis, la lecture de la Bible est pour moi un "plaisir". Comme dit le psalmiste:

"Heureux l'homme qui ne marche pas selon le conseil des méchants, qui ne s'arrête pas sur la voie des pécheurs, et qui ne s'assied pas en compagnie des moqueurs, mais qui trouve son plaisir dans la loi de l'Eternel, et qui la médite jour et nuit! Il est comme un arbre planté près d'un courant d'eau, qui donne son fruit en sa saison, et dont le feuillage ne se flétrit point: tout ce qu'il fait lui réussit" (Psaume 1:1-3).

J'aime ce morceau de phrase: *"mais qui trouve son plaisir dans la loi de l'Eternel"*. N'oublions pas qu'à son époque, on ne disposait que des cinq premiers livres de la Bible. Et ces cinq livres étaient le plaisir du psalmiste. Dans ce chapitre, je voudrais expliquer pourquoi et comment la Bible peut être un "plaisir" pour chacun d'entre nous. Et en guise d'introduction, jetons un coup d'oeil sur son caractère unique.

En premier lieu, elle est unique par sa popularité. On estime qu'il se vend chaque année 44 millions de Bibles et qu'en Amérique chaque ménage possède en moyenne 6,8 Bibles. Récemment, on a pu lire dans le *Times* en sous-titre *"Oubliez les romanciers anglais modernes et les adaptations télévisées; la Bible est le livre qui se vend le plus chaque année"*. Et l'auteur de remarquer:

Comme d'habitude, loin, très loin devant tous les autres livres, on trouve la... Bible. Si les ventes cumulées de la Bible devaient être reportées sur les listes de best-sellers, on devrait sans doute attendre la semaine des quatre jeudis, avant de pouvoir dire: "Ce n'est pas la Bible qui s'est le mieux vendue". C'est merveilleux, étrange ou parfaitement inexplicable qu'à cette époque de plus en plus anti-dieu, où le nombre de livres disponibles s'accroît chaque année, ce livre se vende si bien... On estime à 1 250 000 le nombre de Bibles qui se vendent au Royaume-Uni chaque année.

L'auteur termine l'article en disant: *"Toutes les versions de la Bible se vendent bien tout le temps. La Société Biblique propose-t-elle une explication? "Eh bien, c'est que c'est un si bon livre..."* me dit-on de façon désarmante!

En deuxième lieu, elle est unique quant à sa puissance. En mai 1928, le premier ministre anglais Stanley Baldwin a déclaré:

La Bible est un explosif de grande puissance. Mais elle agit de manière étrange au point qu'aucun homme ne peut dire ou savoir comment ce livre, dans son voyage à travers le monde, a interpellé l'âme individuelle dans dix mille coins de la planète, lui a donné une nouvelle vie, ouvert un nouveau monde, lui a donné une nouvelle croyance, une nouvelle conception, une nouvelle foi.

On s'intéresse de plus en plus au monde occulte. Les séances de oui-ja, les films occultes, les diseurs de bonne aventure et les horoscopes font de plus en plus d'adeptes. Les gens veulent contacter le surnaturel. La tragédie est qu'ils essayent de communiquer avec les forces surnaturelles maléfiques, alors que Dieu nous offre par la Bible la possibilité de rencontrer les puissances surnaturelles du bien. Expérience cent fois supérieure, rencontrer le Dieu vivant comble et ravit; et c'est faire preuve de tellement plus de sagesse!

Troisièmement, connaît-on un livre plus précieux? Il y a à peu près seize ans, je passais mes vacances avec ma famille en Asie centrale, en ex-URSS. A cette époque, la possession de Bibles était illégale, mais je pris avec moi de la littérature chrétienne, y compris certaines Bibles en russe. Et pendant mon séjour, j'allais dans les églises, à la recherche de vrais chrétiens et pour ce faire, je regardais leur visage. (Les réunions d'alors étaient généralement infiltrées par des membres du KGB). A l'issue d'une des réunions, je décidai de suivre un homme dans la soixantaine. Je le suivis dans la rue, le rattrapai et, lui tapant sur l'épaule, lui tendis une des Bibles (nous étions seuls). Pendant un moment, il me regarda incrédule. Il sortit alors de sa poche un Nouveau Testament vieux de 100 ans sans doute. Les pages étaient usées à en être transparentes. Quand il comprit qu'il venait de recevoir une Bible entière et en bon état, il fut transporté de joie. Comme il ne parlait pas anglais ni moi le russe, nous nous sommes seulement étreints. En me quittant, il dansait de joie, parce qu'il savait que la Bible est ce qu'il y a de plus précieux au monde.

Pourquoi cette popularité, cette puissance unique, pourquoi est-elle si précieuse? Jésus a dit: *"L'homme ne vivra pas de pain seulement, mais de toute parole qui sort de la bouche de Dieu" (Matthieu 4:4)*. Le verbe est conjugué au présent et signifie "qui sort continuellement de la bouche de Dieu"; elle est comme un cours d'eau qui jaillit, et, tel le jet d'une fontaine, n'est jamais statique. Dieu désire continuellement communiquer avec son peuple. Et il le fait premièrement par la Bible.

Un manuel pour la vie - Dieu a parlé.

Dieu nous a parlé par son Fils, Jésus-Christ *(Hébreux 1:2)*. Le christianisme est une foi révélée. De Dieu nous ne savons rien à moins qu'il se révèle; il l'a fait, par une personne, Jésus-Christ. Jésus est la révélation ultime de Dieu.

La source de connaissance la plus importante sur Jésus est la révélation écrite, la Bible. La théologie biblique devrait être l'étude de la révélation de Dieu telle qu'elle se trouve dans la Bible. Dieu s'est aussi révélé dans la création *(Romains 1:19-20; Psaume 19)*. Soit dit en passant, la science est l'exploration de la révélation divine dans cette création. Il ne peut y avoir de conflit entre la science et la foi, au contraire, les deux se complètent mutuellement. Mais reprenons le cours de nos réflexions. Dieu parle également à son peuple par son Esprit: par la prophétie, par des songes, des visions et au moyen d'autres personnes. Au chapitre 11, nous étudierons cela plus en détail. Dans ce chapitre, en revanche, nous verrons comment Dieu parle par la Bible.

Paul a écrit sur l'inspiration des écritures dont il disposait: *"Toute l'Ecriture est inspirée de Dieu, et utile pour enseigner, pour convaincre, pour corriger, pour instruire dans la justice, afin que l'homme de Dieu soit accompli et propre à toute bonne oeuvre" (II Timothée 3:16-17)*.

L'auteur veut dire que les Ecritures sont inspirées de Dieu, littéralement: la parole de Dieu. Le grec utilise le terme *theopneustos*. Et quoiqu'il utilise des hommes pour cela - les Ecritures sont rédigées à 100 % par des hommes - elles sont à 100 % inspirées par lui. C'est un petit peu comme Jésus, qui est parfaitement homme et parfaitement Dieu.

Jésus considérait les Ecritures de son temps de la même façon. Pour lui, ce que les Ecritures disaient, Dieu le disait *(Marc 7:5-13)*. Si Jésus est notre Seigneur, notre attitude envers les Ecritures doit se calquer sur la sienne. *"Croire que Christ est la révélation suprême de Dieu implique que nous croyions en l'inspiration des Ecritures, d'une part de l'Ancien Testament vu le témoignage direct que Jésus lui a rendu, et d'autre part du Nouveau Testament, par inférence à ce témoignage."* [27]

Ce point de vue sur l'inspiration de la Bible est universel dans l'Eglise et remonte au début de son histoire. Les premiers théologiens, par exemple Irénée (130-200 apr. J.-C. environ) déclara: *"Les Ecritures sont parfaites"*. On trouve le même avis chez le réformateur Martin Luther, qui dit: *"L'Ecriture ne s'est jamais trompée"*. Aujourd'hui, le point de vue officiel de l'église catholique romaine suit le même sentier. Ainsi, d'après Vatican II, les Ecritures ont été *"écrites sous l'inspiration du Saint-Esprit... ont Dieu pour auteur..."*. Il nous faut reconnaître dès lors qu'elles sont "sans erreur". Jusqu'au siècle dernier, toutes les églises protestantes ont toujours soutenu ce point de vue. Même si aujourd'hui, l'inspiration est mise en doute et ridiculisée par des érudits, de grands savants continuent d'appuyer ce fait.

Inspiration divine ne signifie pas absence de difficultés. Même l'apôtre Pierre trouvait que certaines lettres de l'apôtre Paul étaient *"difficiles à comprendre" (II Pierre 3:16)*. Contradictions apparentes, difficultés morales et historiques y sont présentes. Certaines difficultés peuvent s'expliquer par les différents contextes. Souvenons-nous de ce fait: la Bible a été écrite sur une période de 1 500 ans par au moins quarante auteurs dont des rois, des savants, des philosophes, des pêcheurs, des poètes, des hommes d'Etat, des historiens et des docteurs. Ils ont écrit en différents styles: historique, poétique, prophétique, eschatologique et épistolaire.

Quoique certaines des contradictions apparentes dans la Bible peuvent ainsi trouver une explication à cause de leur contexte différent, d'autres sont plus difficiles à résoudre. Tâche difficile, mais non insurmontable, et il ne faut pas pour autant abandonner notre croyance dans l'inspiration des écritures. Chaque grande doctrine de la foi chrétienne a ses propres difficultés. Par exemple, il est difficile de concilier l'amour de Dieu avec la souffrance du monde. Cela n'empêche pas chaque chrétien de croire en l'amour de Dieu et de chercher à comprendre la souffrance dans ce cadre-là. Il nous faut de la même manière nous attacher à la croyance en l'inspiration divine et essayer de résoudre les problèmes des passages difficiles dans ce contexte. Il est important de ne pas fuir les difficultés, mais de chercher, autant que faire se peut, à les résoudre pour nous-mêmes.

Cette croyance en l'inspiration divine concerne toute l'Ecriture, difficultés résolues ou pas, souvenons-nous-en! Si nous nous y attachons, cela transformera notre vie de tous les jours. Quand Billy Graham était jeune, plusieurs personnes (dont l'une s'appelait Chuck) se sont mises un jour à dire: *"On ne peut pas croire tout ce que la Bible dit"*. Cela le perturba et le laissa fort perplexe. John Pollock, le biographe du grand évangéliste, rapporte l'incident:

> Alors je suis rentré, j'ai pris ma Bible et je suis sorti dehors. La lune brillait. Sur une souche d'arbre je déposai la Bible, m'agenouillai et dis: *"Oh Dieu, je suis dans l'incapacité de prouver certaines choses. Je suis incapable de répondre à certaines questions que Chuck et d'autres posent, mais j'accepte ce livre par la foi, je crois qu'il est la Parole de Dieu"*. Je restai près de la souche, priant sans mot, les yeux pleins de larmes... Je ressentais fortement la présence de Dieu. Une grande paix en moi me certifia que cette décision était bonne.[28]

Si nous acceptons que la Bible est inspirée par Dieu, nous devons nous y soumettre. Si elle est bien la parole de Dieu, elle doit être l'autorité suprême de nos croyances et de nos actes. Pour Jésus, elle était l'autorité suprême: elle avait une autorité suprême, même sur ce que les dirigeants religieux disaient à l'époque (ex: Marc 7:1-20) et sur l'opinion des autres, aussi intelligents fussent-ils (ex: Marc 12:18-27). Cela étant dit, nous devons bien sûr accorder toute leur importance aux paroles des responsables d'Eglise et de nos prochains, pourvu qu'elles n'entrent pas en conflit avec la parole révélée de Dieu.

La Bible doit être notre autorité en toute matière de "foi et [de] comportement". Comme nous l'avons vu, *"Toute l'Ecriture est inspirée de Dieu et utile pour enseigner, pour convaincre, pour corriger, pour instruire dans la justice" (II Timothée 3:16)*. Elle est en premier lieu notre autorité quant à ce que nous devons croire pour enseigner et convaincre. C'est dans la Bible que nous trouvons ce que Dieu dit (et, donc, ce à quoi nous devons adhérer) à propos de la souffrance, de Jésus, de la croix, etc.

Elle est aussi notre autorité quant à la manière dont nous devons nous conduire ("corriger et instruire dans la justice"). C'est dans la Bible que nous découvrons ce qui est mauvais aux yeux de Dieu et ce qui nous permet de vivre une vie empreinte de justice. Par exemple *"les dix commandements... sont une analyse brillante des conditions minimales de vie juste, sobre, civilisée pour un peuple ou une nation"*.[29]

Sur certains sujets, la Bible s'exprime avec une parfaite clarté. Elle nous dit ainsi comment nous conduire dans notre vie quotidienne, au travail ou en période de difficultés. La Bible nous apprend clairement que le célibat peut être un appel *(I Corinthiens 7:7)*, mais que c'est plus une exception qu'une règle générale: le mariage est la norme *(Genèse 2:24; I Corinthiens 7:2)*. Nous savons que les relations sexuelles en dehors du mariage sont interdites. Elle nous enseigne qu'il faut donner et pardonner. Nous savons qu'il faut, si possible, trouver un travail. La Bible nous donne notamment des principes généraux pour l'éducation des enfants et nous ordonne de prendre soin des parents âgés.

Certains diront: *"Je ne veux pas de ce livre de loi. Il est trop restrictif; on y trouve trop de règles. Je ne pourrai jouir de ma vie"*. Ce type de raisonnement est-il vraiment justifié? La Bible nous prive-t-elle de liberté? En fait, certaines règles et lois peuvent créer la liberté et nous permettre de jouir de la vie plus pleinement.

J'ai eu, il y a quelques années, l'occasion de vérifier l'authenticité de ce que nous venons de dire à l'occasion d'un match de football, auquel participait l'un de mes fils, âgé de huit ans à l'époque. Andy, l'entraîneur de l'équipe et mon ami personnel, devait en être l'arbitre. Malheureusement, à 14h30, il n'était toujours pas là. Comme les garçons ne pouvaient plus attendre, ils me pressèrent de remplacer l'arbitre. Les problèmes étaient toutefois nombreux: je n'avais pas de sifflet; le terrain n'avait aucun marquage; je ne connaissais pas le nom des autres garçons; ils ne portaient pas de couleurs distinctes qui permettaient de savoir à quelle équipe ils appartenaient et je ne connaissais pas les règles aussi bien que certains des joueurs.

Le match devint rapidement un chaos complet. Certains criaient que le ballon était en dehors, d'autres disaient que non. Comme je n'en étais pas certain, je laissai les choses aller. Ensuite ce furent les tirs au pénalty: certains disaient oui, d'autres, non. Mais comme je ne savais pas qui avait raison, je laissai le jeu continuer. Et puis, ce qui devait arriver arriva: certains furent blessés par d'autres. Le temps qu'Andy arrive, trois garçons étaient par terre, et les autres criaient, surtout après moi! Dès qu'Andy est arrivé, il siffla, arrangea les équipes, délimita le terrain et il prit la situation en main. Les garçons purent enfin jouer une excellente partie.

Les garçons étaient-ils plus libres avec ou sans les règles? En l'absence d'autorité efficace, ils pouvaient faire ce qu'ils voulaient. Résultat: confusion et tort. Ils préfèrent de loin un jeu où l'on respecte les règles; au moins, ils peuvent alors profiter pleinement de leur match.

Dans un certain sens, la Bible fonctionne comme un match. Elle est le livre des règles divines. C'est Dieu qui nous dit quand le ballon est en dehors ou pas. Il nous dit ce qui est permis et ce qui est strictement défendu. Si nous respectons ses règles, nous jouissons de la liberté et nous éprouvons de la joie. Si nous les violons, rien ne va plus. Dieu n'a pas dit: *"Tu ne tueras point"* pour rabattre notre joie de vivre. Il n'a pas dit *"Tu ne commettras point d'adultère"* pour jouer les trouble-fête; mais plutôt, pour nous empêcher de nous faire du mal. Les hommes ou les femmes qui quittent leur conjoint et leurs enfants pour commettre l'adultère gâchent bien des vies.

La Bible est la révélation de la volonté divine pour son peuple. Plus nous découvrons la volonté de Dieu et la mettons en pratique, plus nous serons libres. Dieu a parlé, écoutons-le!

Une lettre d'amour de la part de Dieu - Dieu parle

A entendre certaines personnes, la Bible n'est pas plus qu'un manuel de vie digne de confiance. Ces personnes croient que Dieu a parlé et, en effet, elles sont capables d'étudier la Bible pendant des heures. Elles l'analysent, lisent des commentaires (c'est très légitime), mais se rendent-elles compte que Dieu parle aussi aujourd'hui? Dieu désire que nous jouissions d'une relation avec lui. Par sa parole, c'est tous les jours qu'il veut nous parler. La Bible est un manuel de vie, mais c'est aussi une lettre d'amour.

La Bible a été écrite principalement pour nous montrer comment entrer en relation avec Dieu par Jésus-Christ. Jésus a dit *"Vous sondez les Ecritures, parce que vous pensez avoir en elles la vie éternelle: ce sont elles qui rendent témoignage de moi. Et vous ne voulez pas venir à moi pour avoir la vie!" (Jean 5:39-40).*

Le Docteur Christopher Chavasse, ancien évêque de Rochester, a dit:

La Bible est le portrait de notre Seigneur Jésus-Christ et les évangiles en sont le visage. L'Ancien Testament est le fond du tableau qui conduit au visage divin, qui attire l'attention sur ce visage et qui est absolument nécessaire pour toute l'oeuvre. Les épîtres revêtent, équipent, expliquent et décrivent le portrait. Par notre lecture de la Bible, nous étudions le portrait dans son ensemble, et puis le miracle se produit, le visage s'anime et, tel le passage de la lettre à l'esprit, c'est maintenant le Christ vivant à jamais de l'histoire d'Emmaüs qui devient lui-même notre enseignant, interprétant pour nous dans toutes les Ecritures les choses le concernant.

Il n'est pas bon d'étudier la Bible si nous ne venons jamais à Jésus-Christ; si nous ne le rencontrons jamais lors de nos lectures. Martin Luther a dit: *"les Ecritures sont la mangeoire, le berceau de l'enfant Jésus. N'étudions pas le berceau en oubliant d'adorer l'enfant"*.

Notre relation avec Dieu est à double sens. Nous lui parlons par la prière et il nous parle de plusieurs manières, mais surtout par la Bible. Dieu parle par les paroles qu'il a prononcées. L'auteur de l'épître aux Hébreux dit, citant l'Ancien Testament: *"selon ce que dit [présent de l'indicatif] le Saint-Esprit" (Hébreux 3:7)*. Le Saint-Esprit n'a pas seulement parlé dans le passé. Il parle à nouveau au moyen de ce qu'il a dit dans le passé. C'est cela qui fait de la Bible une parole si vivante. Ecoutons une fois encore Martin Luther: *"La Bible est vivante, elle me parle; elle a des jambes et elle me poursuit; elle a des mains, et elle s'accroche à moi"*.

Que se passe-t-il quand Dieu parle? En premier lieu, à ceux qui ne sont pas encore chrétiens, Dieu donne la foi. Paul dit: *"Ainsi la foi vient de ce qu'on entend, et ce qu'on entend vient de la parole de Christ" (Romains 10:17)*. C'est souvent en lisant la Bible que les gens arrivent à la foi en Jésus-Christ. Assurément, ce fut mon expérience.

David Suchet, acteur spécialisé dans les pièces de Shakespeare et bien connu pour son rôle principal dans *Poirot*, raconte comment, il y a plusieurs années, alors qu'il prenait son bain dans un hôtel américain, il eut un désir soudain et impulsif de lire la Bible. Il réussit à trouver une Bible Gédéon et commença le Nouveau Testament. En lisant, il mit sa foi en Jésus-Christ. Voici son témoignage:

> Venu de je ne sais où, j'eus ce désir de relire la Bible. C'est la partie la plus importante de ma conversion. Je commençai par les Actes des Apôtres et continuai avec les lettres de Paul aux Romains et aux Corinthiens. Et seulement après, je lus les évangiles. Dans le Nouveau Testament, je découvris soudain quel était le chemin de vie qu'il fallait suivre.[30]

Ensuite, Dieu parle aux chrétiens. En lisant la Bible, nous expérimentons une relation avec Dieu par Jésus-Christ qui nous métamorphose. Paul dit: *"Nous tous dont le visage découvert reflète la gloire du Seigneur, nous sommes transformés en la même image, de gloire en gloire, par l'Esprit du Seigneur" (II Corinthiens 3:18)*. En étudiant la Bible, nous entrons en contact avec Jésus-Christ. Ce miracle m'a toujours frappé: nous pouvons parler et écouter la personne dont il est question dans les pages du Nouveau Testament, Jésus-Christ. En lisant la Bible, il nous parlera (pas forcément oralement, mais dans nos coeurs). Nous entendrons ce qu'il a à nous dire. En passant du temps avec lui, notre caractère ressemblera de plus en plus au sien.

Passer du temps en sa présence à écouter sa voix nous apporte de nombreuses bénédictions. Jésus nous donne la joie et la paix, au sein même des crises *(Psaume 23:5)*. Quand nous sommes incertains de la direction à prendre, il nous guide souvent par sa parole *(Psaume 119:105)*. Le livre des Proverbes nous dit même que les paroles de Dieu guérissent nos corps *(Proverbes 4:22)*.

La Bible nous équipe aussi contre les attaques spirituelles. Nous n'avons qu'un seul exemple détaillé des tentations de Jésus. Au début de son ministère, Jésus a dû faire face à de fortes attaques de la part du diable *(Matthieu 4:1-11)*. Chaque tentation a été vaincue par un verset de l'Ecriture. Je trouve personnellement fascinant que chacune de ses répliques ait été tirée du livre du Deutéronome, chapitres 6 à 8. Il semble plausible de penser que Jésus avait étudié cette partie précise de l'Ecriture et qu'elle était encore bien présente dans son esprit au moment de la tentation.

La parole de Dieu a beaucoup de puissance. L'auteur de l'épître aux Hébreux déclare: *"Car la parole de Dieu est vivante et efficace, plus tranchante qu'une épée quelconque à deux tranchants, pénétrante jusqu'à partager âme et esprit, jointures et moelles; elle juge les sentiments et les pensées du coeur" (Hébreux 4:12)*. Elle a le pouvoir de percer toutes les défenses pour aller jusqu'au fond des coeurs. Je me souviens, un jour que je lisais *Philippiens 2:4 ("Que chacun de vous, au lieu de considérer ses propres intérêts, considère aussi ceux des autres")* comment ce verset m'avait transpercé comme une flèche, car je venais de me rendre compte de mon attitude extrêmement égoïste. C'est par ces moyens, et par bien d'autres, que Dieu nous parle.

Parfois, Dieu s'adresse à nous directement. Dieu m'a par exemple parlé spécialement à propos de mon père, après sa mort le 21 janvier 1981. Sept ans plus tôt, j'étais devenu chrétien et la première réaction de mes parents avait été d'être horrifiés au plus haut point. Mais, au fil des années, ils s'aperçurent du changement qui s'effectuait en moi et ma mère se convertit bien avant sa mort. Mon père, lui, ne disait pas grand-chose. Au début, il n'était pas enthousiaste vis-à-vis de mon engagement chrétien. Petit à petit, il devint plus réceptif à cette idée. Il mourut inopinément, et le plus dur, c'était de ne pas savoir s'il avait donné sa vie à Dieu.

Dix jours exactement après sa mort, comme je lisais la Bible et que j'avais demandé à Dieu de me parler au sujet de mon père, le verset 13 du chapitre 10 de l'épître aux Romains me parla: *"Quiconque invoquera le nom du Seigneur sera sauvé"*. Je compris que Dieu me donnait ce verset pour mon père; il avait invoqué le nom du Seigneur et avait été "sauvé".

Cinq minutes plus tard, mon épouse, Pippa, entra et me dit: *"Je viens de lire un verset d'Actes 2:21 et je pense qu'il est pour ton père; c'est: Quiconque invoquera le nom du Seigneur sera sauvé"*. C'était extraordinaire; ce verset n'apparaît que deux fois dans le Nouveau Testament et Dieu nous avait parlé à chacun de nous en ces termes précis au même moment, dans deux différents passages de la Bible.

Trois jours plus tard, nous sommes allés à une étude biblique chez un ami et ce soir-là, le sujet d'étude était précisément *Romains 10:13,* le même passage. Ainsi, à trois reprises pendant ces trois jours, Dieu m'avait parlé au moyen des mêmes paroles. Mais, tout de même, en allant à mon travail quelques jours plus tard, je me faisais encore du souci au sujet de mon père. En sortant du métro, je vis un grand poster sur lequel était écrit: *"Quiconque invoquera le nom du Seigneur sera sauvé".* Je me vois encore parlant de ce qui s'était passé avec un ami; il me dit: *"Est-ce que tu penses que le Seigneur essaie de te dire quelque chose?"*

Tandis que Dieu nous parle et que nous apprenons à écouter sa voix, notre relation avec lui grandit et notre amour pour lui s'approfondit.

En pratique, comment entendons-nous Dieu nous parler par la Bible?

Le temps est notre bien le plus précieux. On dirait que plus ça va, plus le temps nous presse. Il existe un dicton anglais qui dit à peu près ceci *"L'argent, c'est le pouvoir, mais le temps, c'est la vie".* Si nous voulons mettre du temps à part pour lire la Bible, il faut de la planification. Sans planification, jamais nous ne lirons la Bible. Ne soyez pas déprimés si vous ne réussissez pas parfaitement à suivre votre plan. Parfois nous oublions de nous réveiller!

Il est sage de se donner un but réaliste. Ne soyez pas trop ambitieux. Mieux vaut y passer quelques minutes tous les jours qu'une heure et demie le premier jour pour ensuite laisser tomber. Si vous n'avez jamais étudié la Bible, mettez peut-être sept minutes de côté chaque jour. A pratiquer cela régulièrement, le temps que vous y consacrez augmentera progressivement, j'en suis sûr. Et plus vous entendrez la parole de Dieu, plus vous désirerez l'entendre.

L'évangéliste Marc nous raconte que Jésus se levait tôt et partait vers un lieu isolé pour prier *(Marc 1:35).* Il est important de trouver un endroit où l'on peut être seul. J'aime personnellement sortir quand je suis à la campagne. A Londres, c'est plus difficile de trouver un endroit "isolé". J'ai un petit coin chez moi où je me retire pour lire la Bible et prier. Je crois que commencer ainsi la journée est la meilleure chose que vous puissiez faire - avant le réveil des enfants et les sonneries du téléphone. Je prends une tasse de chocolat chaud (pour me réveiller), ma Bible, mon agenda et un cahier de notes. J'utilise ce dernier pour noter les prières et les instructions que Dieu me donne. L'agenda, je l'utilise pour m'aider à prier pour les étapes de la journée et aussi pour prendre note des pensées qui me viennent à l'esprit et ainsi pour m'en débarrasser.

Commencez par demander à Dieu de vous parler par le passage que vous allez lire. Lisez ensuite le passage. Si vous débutez, je vous propose de lire quelques versets de l'un des évangiles tous les jours. Un livre de notes de lecture, que vous trouverez dans une librairie chrétienne, peut aussi s'avérer utile.

Pendant la lecture, posez-vous trois questions:

1. Qu'est-ce qui est dit? Lisez le passage au moins une fois. Si nécessaire, comparez différentes traductions.

2. Quel en est le sens? Pour la personne qui l'a écrit et pour les premier lecteurs (c'est ici que les notes de lecture peuvent avoir leur utilité).

3. Comment s'applique-t-il à moi, à ma famille, à mon travail, mes voisins, la société? Voici la partie la plus importante: voir que la parole de Dieu s'applique à nos vies d'aujourd'hui est une expérience passionnante; nous prenons alors conscience que nous entendons la voix de Dieu.

Enfin, nous devons mettre en pratique ce que nous entendons de Dieu. Jésus a dit: *"C'est pourquoi, quiconque entend ces paroles que je dis et les met en pratique, sera semblable à un homme prudent qui a bâti sa maison sur le roc" (Matthieu 7:24).* Moody, le prédicateur du IXXe siècle, disait que *"la Bible ne nous a pas été donnée pour augmenter notre connaissance, mais pour changer les vies".*

J'aimerais terminer ce chapitre comme je l'ai commencé, en mentionnant le *Psaume 1.* Le psalmiste nous encourage à trouver notre "plaisir" dans la Parole de Dieu. Ce faisant, il déclare que certaines choses changeront dans nos vies.

En premier lieu, *nous produirons du fruit.* Le psalmiste l'exprime ainsi: *"Il est comme un arbre planté près d'un courant d'eau, qui donne son fruit en sa saison" (v.3).* La promesse est que nos vies porteront du fruit: le fruit de l'Esprit (comme nous l'avons vu au chapitre 4). Ce fruit implique également que les vies d'autres personnes seront changées. Si nous lisons notre Bible, c'est aussi dans l'intérêt des autres: nos amis, nos collègues, nos voisins, la société. Ce fruit demeurera jusque dans la vie éternelle *(Jean 15:16).*

En deuxième lieu, nous aurons la force de *persévérer* dans notre marche avec le Seigneur. La promesse faite à la personne qui trouve son plaisir dans la loi de l'Eternel est qu'il sera comme un arbre dont le feuillage ne se flétrit point *(v.3)*.

Si nous restons près de Jésus-Christ grâce à sa parole, nous ne nous assécherons pas et nous ne perdrons pas notre vitalité spirituelle. Quoique très importantes et fort merveilleuses, les grandes expériences spirituelles ne représentent pas tout. A moins d'être fermement enracinés en Jésus-Christ, dans sa parole et dans une relation avec lui, les tempêtes de la vie auront raison de nous. Si nous sommes réellement enracinés, si notre relation avec Dieu est une source de réel plaisir, alors quand elles viendront, les tempêtes ne nous ébranleront pas.

En troisième lieu, le psalmiste affirme que la personne qui trouve son plaisir dans la parole de Dieu *prospérera* dans tout ce qu'elle fait *(v.3)*. Il se peut que nos vies ne soient pas caractérisées par la prospérité matérielle, mais nous prospérerons dans ce qui importe: notre relation avec Dieu, nos relations avec les autres, et nous serons de plus en plus semblables à Jésus-Christ. Qu'est-ce que la richesse matérielle à côté de ces trésors?

C'est mon souhait, à l'instar du psalmiste et de millions d'autres chrétiens, que vous soyez déterminés à faire de la Bible votre "délice".

6

PRIER: *POURQUOI ET COMMENT?*

DES ÉTUDES ONT MONTRÉ QUE LES TROIS QUARTS DE LA POPULATION britannique, quoique non pratiquants, prient au moins une fois par semaine. Avant de devenir chrétien, je faisais deux types de prières. La première m'avait été enseignée par ma grand-mère, non pratiquante, quand j'étais enfant. Elle consistait à dire: *"Seigneur, bénis maman et papa... et tout le monde et fais que je sois un gentil garçon. Amen"*. Il n'y avait rien de mal à faire cette prière, mais elle n'était pour moi qu'une formule que je prononçais chaque soir avant d'aller me coucher. J'étais d'ailleurs angoissé à l'idée de ce qui pourrait m'arriver si je ne la disais pas.

Quant à la seconde, j'y avais recours en temps de crise. Par exemple, à l'âge de dix-sept ans, je voyageais seul aux états-Unis. La compagnie de transports publics avait réussi à perdre mon sac à dos avec mes vêtements, mon argent et mon carnet d'adresses. Il ne me restait quasiment rien. Je passai dix jours dans une colonie hippie à Key West, partageant une tente avec un alcoolique. A la fin de ces dix jours, me sentant de plus en plus seul et désespéré, je passais mes journées à flâner dans plusieurs villes d'Amérique et à dormir le soir dans les autobus. Un jour que je me promenais dans la rue, je criai à Dieu (en qui je ne croyais pas) et je lui demandai de me faire rencontrer quelqu'un que je connaissais. Peu de temps après, je pris un autobus à Phoenix, en Arizona, vers les 6 heures du matin, où je rencontrai un ancien ami d'école. Il me prêta un peu d'argent et nous voyageâmes quelques jours ensemble. Cela fit toute la différence. Je n'y vis pourtant pas une réponse à la prière, seulement une coïncidence.

Depuis que je suis chrétien, je trouve remarquable le nombre de fois que la prière est suivie d'une "coïncidence".

Qu'est-ce que la prière?

La prière est l'activité la plus importante de nos vies. C'est la meilleure manière de développer notre relation avec notre Père céleste. Jésus a dit: *"Quand tu pries, entre dans ta chambre, ferme la porte et prie ton Père qui est là, dans le lieu secret" (Matthieu 6:6).* La prière est un acte de communication plutôt qu'un rituel. Ce n'est pas un torrent mécanique de mots vides de sens. Jésus a dit: *"Ne multipliez pas de vaines paroles, comme les païens" (Matthieu 6:7).* La prière est une conversation avec notre Père céleste; la prière est une conversation verticale, pas horizontale. Un petit garçon hurla un jour cette prière: *"Dieu, s'il te plaît, apporte-moi une grande boîte de chocolats pour mon anniversaire".* *"Dieu n'est pas sourd, mon chéri",* lui dit sa mère, *"Il est inutile de crier comme cela!"* Et le garçon répondit du tac au tac: *"Je sais, mais grand-papa, oui, et il est dans la pièce à côté!"* La prière s'adresse à Dieu seul, c'est une affaire de relation, et quand nous prions, nous impliquons toute la Trinité.

La prière chrétienne s'adresse à "notre Père"

La prière que Jésus a enseignée commence ainsi: *"notre Père qui es aux Cieux". (Matthieu 6:9)* Dieu est donc un Dieu personnel. Il est bien sûr, comme le dit C.S. Lewis *"au-delà de toute individualité"*, mais cela n'empêche pas qu'il soit un Dieu personnel. L'homme a été créé à l'image de Dieu et la nature humaine reflète quelque chose de la nature divine. Il est notre Père aimant et nous jouissons du privilège extraordinaire de venir en sa présence et de l'appeler "Abba", mot araméen dont la traduction la plus fidèle est "papa" ou "cher père". Notre relation avec Dieu et nos prières à notre Père céleste sont empreintes d'une profonde intimité.

Mais Il n'est pas seulement *"notre Père"*; il est *"notre Père qui es aux cieux"*. Il est revêtu de puissance céleste. Quand nous prions, nous parlons au Créateur de l'univers. Le 20 août 1977, la sonde interplanétaire Voyager II chargée de récolter des données sur le système planétaire et de les transmettre à la terre, quitta la terre à une vitesse supérieure à celle d'une balle de revolver (144 810 km/h). Le 28 août 1989, elle a atteint la planète Neptune, située à 4 344 000 kilomètres de la terre. Ensuite Voyager II a quitté le système solaire. La sonde ne s'approchera pas à moins d'une année lumière d'aucune étoile d'ici 958 000 ans. Notre galaxie compte 100 000 millions d'étoiles semblables à notre soleil. Le nombre de galaxies est évalué à 100 000 millions. Cinq mots, comme dits en passant, font allusion à la puissance du Créateur: *"Il fit aussi les étoiles". (Genèse 1:16)* L'auteur chrétien, Andrew Murray, a dit un jour: "La puissance de la prière dépend presque entièrement de la compréhension que l'on a de Celui avec qui l'on parle".

Lorsque nous prions, nous parlons à un Dieu à la fois transcendant et immanent. Il est plus grand et plus puissant que l'univers qu'il a créé et pourtant, il est là avec nous quand nous prions.

La prière chrétienne est possible par le "Fils"

Paul dit que *"par lui [Jésus] les uns et les autres [Juifs et Gentils] nous avons accès auprès du Père, dans un même Esprit". (Ephésiens 2:18)* Jésus a dit: *"tout ce que vous demanderez au Père en mon nom, il vous le donne". (Jean 15:16).* Par nous-mêmes, nous n'avons pas le droit de venir à Dieu, mais nous pouvons le faire "par Jésus" et "en son nom". Voilà pourquoi on termine généralement les prières en disant: "par Jésus-Christ notre Seigneur" ou "au nom de Jésus". Ce n'est pas seulement une formule; nous reconnaissons par là que c'est uniquement par Jésus que nous pouvons venir à Dieu.

C'est Jésus, par sa mort sur la croix, qui a ôté la barrière entre nous et Dieu. Jésus est notre Grand Prêtre. Voilà pourquoi le nom de Jésus est revêtu de tant de puissance.

La valeur d'un chèque ne dépend pas seulement du montant indiqué, mais également du numéro du compte d'où il est tiré. Si personnellement je vous signe un chèque de cinq cent millions de francs, il n'aura aucune valeur; mais si le Sultan de Brunei, l'homme le plus riche du monde, vous en signe un, vous pourrez sans problème obtenir de la banque la somme mentionnée. Lorsque nous allons à la banque des Cieux, nous n'y avons aucun dépôt à notre nom. Si j'y vais en mon nom propre, je n'y recevrai rien; mais Jésus-Christ, lui, possède un crédit illimité dans les Cieux. Et il nous a donné le privilège d'utiliser son nom.

La prière chrétienne est une prière *"dans un même Esprit" (Ephésiens 2:18)*

C'est dur de prier. Cependant, Dieu ne nous a pas laissés seuls. Il nous a donné son Esprit pour qu'il vive en nous et nous aide à le faire. Paul écrit: *"De même aussi l'Esprit nous aide dans notre faiblesse, car nous ne savons pas ce qu'il convient de demander dans nos prières. Mais l'Esprit lui-même intercède par des soupirs inexprimables; et celui qui sonde les coeurs connaît la pensée de l'Esprit, parce que c'est selon Dieu qu'il intercède en*

69

faveur des saints". *(Romains 8:26-27)* Dans un autre chapitre, nous étudierons en détail l'oeuvre du Saint-Esprit. Notons ici que lorsque nous prions, c'est Dieu qui prie à travers nous par son Esprit qui vit en nous, chrétiens.

Pourquoi prier?

La prière est vitale; elle se justifie à plus d'un titre. Tout d'abord, c'est par elle que nous développons une relation avec notre Père qui est dans les Cieux. *"Mais"*, diront certains, *"si Dieu connaît nos besoins, pourquoi les lui exposer?"* Sans communication, il n'y a pas de relation. Bien sûr, la prière de requête n'est pas la seule forme de communication avec Dieu. Il existe d'autres prières: de reconnaissance, de louange, d'adoration, de confession, d'écoute, etc. Mais prier, c'est surtout faire part de ses besoins à Dieu. Nos demandes et les réponses de Dieu jouent un rôle important dans la croissance de notre relation avec lui.

Ensuite, Jésus a prié et nous a enseignés à faire de même. Sa relation avec Dieu était continuelle. Sa vie était une prière constante. *Marc 1.35, Luc 6:12, etc.* parlent de Jésus qui priait. Jésus attendait de ses disciples qu'ils prient: il leur a dit *"Quand vous priez"(Matthieu 6:7)* et non pas *"Si vous priez".*

Jésus a aussi enseigné qu'il y aurait des récompenses à la prière. *(Matthieu 6:6)*

Les récompenses cachées de la prière sont trop nombreuses pour qu'on les énumère toutes. Dans les mots de l'apôtre Paul, quand nous crions *"Abba, Père"* le Saint-Esprit rend témoignage à notre esprit que nous sommes bien les enfants de Dieu, et nous recevons une forte assurance de sa paternité et de son amour. Il fait lever la lumière de sa face sur nous et nous donne sa paix. Il rafraîchit nos âmes, satisfait notre faim et étanche notre soif. Nous savons que nous ne sommes plus orphelins, car le Père nous a adoptés; nous ne sommes plus prodigues, car pardonnés; nous ne sommes plus étrangers, car nous sommes rentrés chez nous.[31]

Enfin, la prière ne fait pas qu'agir sur nous, elle sert aussi à changer les situations. Beaucoup de gens acceptent l'idée que la prière aurait un effet bénéfique sur eux, mais certains émettent des objections d'ordre philosophique à la pensée que la prière puisse changer les événements et les hommes. Le rabbin Daniel Cohn-Scherbok de l'université de Kent, écrivit un jour un article sur le fait que comme Dieu connaît déjà l'avenir, celui-ci doit être déjà déterminé. A cela, Clifford Longley, le correspondant des affaires religieuses du *Times* répliqua très justement que *"si Dieu vit dans le présent Eternel, il entend toutes les prières simultanément. Il peut donc répondre à une prière de la semaine prochaine en intervenant dans la réalisation d'un événement du mois dernier. Des prières formulées après l'événement peuvent être entendues avant d'avoir été prononcées et prises en compte avant l'événement"*. En d'autres termes, Dieu a toute l'éternité pour répondre, par exemple, à la prière-éclair d'un conducteur qui voit venir l'accident.

A plusieurs occasions, Jésus a encouragé ses disciples à demander. Il a dit: *"Demandez, et l'on vous donnera; cherchez, et vous trouverez; frappez, et l'on vous ouvrira. Car quiconque demande reçoit, celui qui cherche trouve, et l'on ouvre à celui qui frappe." Matthieu 7:7-8)*

Tous les chrétiens savent par expérience que Dieu répond à la prière. Il n'est pas possible de prouver le christianisme sur la base des exaucements de prières, parce que les sceptiques y verront toujours des coïncidences. Mais des prières exaucées renforcent notre foi en Dieu. J'ai toujours sur moi un agenda de prière et c'est une grande joie pour moi de constater que, jour après jour, semaine après semaine, année après année, Dieu exauce mes prières.

Dieu exauce-t-il toujours les prières?

Selon le passage que j'ai cité de *Matthieu 7:7-8* et selon bien d'autres du Nouveau Testament, la promesse d'un exaucement semble être inconditionnelle. Cependant, quand nous considérons l'ensemble des Ecritures, il semble y avoir de bonnes raisons de croire que nous ne recevrons pas toujours ce que nous demandons.

Un péché non confessé élève une barrière entre nous et Dieu: *"Non, la main de l'Eternel n'est pas trop courte pour sauver ni son oreille trop dure pour entendre. Mais ce sont vos crimes qui mettent une séparation entre vous et votre Dieu; ce sont vos péchés qui vous cachent sa face et l'empêchent de vous écouter" (Esaïe 59:1-2)*. Dieu n'a jamais promis de répondre à la prière de quelqu'un qui n'est pas en relation avec lui. Quelques fois il peut gracieusement exaucer la prière d'un non-croyant (comme pour moi, souvenez-vous de ma petite histoire au début du chapitre), mais de quel droit nous y attendrions-nous? Quand les gens nous disent: *"Je n'ai pas l'impression que mes prières atteignent Dieu, je n'ai pas l'impression qu'il y a quelqu'un là-haut"*. La première question à leur poser est de savoir s'ils ont reçu le pardon de Dieu par Christ sur la croix. Ne nous attendons pas à voir nos prières entendues et exaucées avant d'avoir éliminé cette barrière entre nous et Dieu.

Cependant même les chrétiens peuvent souffrir d'une relation bloquée par le péché ou la désobéissance. Jean écrit: *"Bien-aimés, si notre coeur ne nous condamne pas, nous avons de l'assurance devant Dieu. Quoi que ce soit que nous demandions, nous le recevons de lui, parce que nous gardons ses commandements et que nous faisons ce qui lui est agréable".* *(1 Jean 3:21-22)* Si nous avons péché ou désobéi, confessons nos fautes et détournons-nous de ce péché pour que notre relation avec Dieu soit restaurée et que nous puissions à nouveau nous approcher de lui avec confiance.

De mauvaises motivations peuvent également expliquer une absence d'exaucement. Une requête concernant une nouvelle Porsche risque de ne pas être exaucée! Jacques, le frère de Jésus, écrit:

> *"Vous convoitez, et vous ne possédez pas; vous êtes meurtriers et envieux, et vous ne pouvez pas obtenir; vous avez des querelles et des luttes, et vous ne possédez pas, parce que vous ne demandez pas. Vous demandez, et vous ne recevez pas, parce que vous demandez mal, dans le but de satisfaire vos passions"* *(Jacques 4:2-3).*

L'exemple bien connu en Grande-Bretagne d'une prière truffée de motifs répréhensibles est celle de John Ward de Hackney, écrite au XVIIIᵉ siècle:

> O Seigneur, tu sais que je possède neuf domaines au coeur de la ville de Londres et que, récemment, j'ai acquis une autre propriété dans le comté de l'Essex; je te supplie donc de préserver ces deux comtés d'Essex et de Middlesex des ravages du feu et des tremblements de terre; de même comme j'ai une hypothèque à Hertfordshire, je te demande de bien vouloir poser un regard compatissant sur ce comté; dans tous les autres, Seigneur, agis comme il te plaira.

> O Seigneur, que les banquiers honorent leurs dettes, et que tous mes débiteurs

me soient favorables. Accorde un voyage aller-retour sans encombre au vaisseau Mermaid, car je l'ai assuré. Et comme tu as dit que les jours du méchant seront courts, je te fais confiance, Seigneur, tu n'oublieras pas ta promesse, puisque je viens d'acquérir une propriété qui ne sera totalement mienne qu'à la mort de ce débauché de Monsieur J.L.

Préserve mes amis de la ruine et protège-moi des voleurs et des cambrioleurs, et que tous mes domestiques soient honnêtes et fidèles dans la recherche de mes intérêts, et que jamais au grand jamais, ils ne m'escroquent de mes avoirs.

Parfois les prières ne sont pas exaucées, parce que ce que nous demandons n'est pas bon pour nous. Dieu promet de ne nous donner que de *"bonnes choses" (Matthieu 7:11)*. Il nous aime et il sait ce qui est bon pour nous. Un père digne de ce nom ne donne pas toujours ce que lui demandent ses enfants. Si un enfant de cinq ans veut jouer avec un couteau, espérons que son père lui dira "non". Dieu nous dira "non" si ce que nous demandons n'est pas bon en soi, ou pas bon pour nous ou pour les autres; directement ou indirectement, dans l'immédiat ou en finalité, comme l'écrit John Stott.

Dieu peut nous dire "oui", "non", ou "attends"; et pour chacune de ces réponses, nous devons être reconnaissants au plus haut point. Savez-vous que si Dieu nous donnait tout ce que nous demandons, nous n'oserions plus rien demander? Comme le disait le prédicateur Martyn Lloyd-Jones: *"Je remercie Dieu du fait qu'il n'est pas prêt à faire tout ce que je lui demande... Je lui suis profondément reconnaissant de ne pas m'avoir accordé certaines choses et de ce que de temps en temps, il m'ait fermé la porte"*. [32]

Tout chrétien qui n'est pas né d'hier sera d'accord. Ruth Graham (épouse de Billy Graham), s'adressant un jour à un auditoire à Minneapolis, dit: *"Dieu n'a pas toujours répondu à mes prières. Sinon, je me serais trompée de mari, plusieurs fois"*. Parfois nous ne comprendrons pas le "non" de Dieu pendant notre vie sur terre.

Voilà pourquoi les promesses de la Bible concernant l'exaucement des prières contiennent certaines réserves. Jean écrit par exemple que *"si nous demandons quelque chose **selon sa volonté**, il nous écoute"*. *(I Jean 5:14, gras rajouté)* Plus nous connaissons Dieu, mieux nous connaîtrons sa volonté et plus nos prières seront exaucées.

Comment devons-nous prier?

Il n'existe pas de prière toute faite. La prière fait partie intégrante de notre relation avec Dieu et nous sommes donc libres de lui parler comme nous l'entendons. Dieu ne veut pas que nous répétions des mots dénués de sens; il veut entendre nos coeurs parler. Cela dit, beaucoup de personnes, y compris moi-même, apprécient d'avoir des lignes directrices pour leurs moments de prière. Comme je suis anglophone, j'utilise un moyen mnémotechnique anglais, le mot "acts", ACTES.

A - **Adoration**

Je loue Dieu pour ce qu'il est et pour ce qu'il a fait.

C - **Confession**

J'implore le pardon de Dieu pour toutes mes mauvaises actions.

T - **Témoigner sa reconnaissance**

Je le remercie pour ma santé, ma famille, mes amis, etc.

E - **Ecoute**

J'écoute, je suis attentif à ce que Dieu désire me communiquer.

S - **Supplication**

Je prie pour moi-même, pour mes amis et pour d'autres personnes qui me tiennent à coeur.

Plus récemment, j'ai découvert que je suivais souvent le Notre Père *(Matthieu 6:9-13)*:

"Notre Père qui es aux Cieux" (v.9)

Au début du chapitre, nous avons vu la signification de cette expression. Elle se traduit dans mes prières par des paroles de reconnaissance. Je le remercie pour qui il est, pour ma relation avec lui et pour les réponses accordées à mes prières.

"Que ton nom soit sanctifié" (v.9)

En hébreu, le nom propre révèle le caractère de la personne. Prier pour que le nom de Dieu soit sanctifié, c'est demander qu'il soit honoré. C'est si peu le cas dans notre société: qui prend seulement la peine d'obéir à ses lois? Commençons par prier en demandant que le nom de Dieu soit honoré dans nos vies, dans notre église et dans la société.

"Que ton règne vienne" (v.10)

Le royaume de Dieu, c'est son règne et son autorité. Le retour de Jésus réalisera cela parfaitement. Mais ce royaume a déjà commencé à prendre sa place dans l'histoire depuis la première venue de Jésus. Son ministère a démontré la présence de ce royaume. Quand nous prions *"Que ton règne vienne"*, nous prions pour le présent et pour l'avenir. Nous prions ainsi pour la conversion et la guérison des hommes, pour leur libération des liens du mal, nous prions pour qu'ils soient remplis de l'Esprit et que chacun reçoive les dons de l'Esprit, afin que tous ensemble, ils servent le Roi et lui obéissent.

J'ai entendu dire que D.L. Moody avait fait une liste de 100 personnes pour lesquelles il pria afin qu'elles se convertissent pendant sa vie. Quatre-vingt-seize d'entre elles se convertirent avant sa mort et les quatre autres, à son enterrement.

Une mère chrétienne avait un jour des problèmes avec son adolescent rebelle. Il était paresseux et de mauvais caractère, il trichait, mentait et volait. Plus tard, bien qu'il fût respecté en tant qu'avocat, sa vie n'en était pas moins dominée par les ambitions mondaines et un désir de gagner de l'argent. Ses moeurs étaient dissolues: il vivait avec plusieurs femmes et avait eu un fils de l'une d'elles. A une époque de sa vie, il se joignit à une secte étrange et adopta toutes sortes de pratiques bizarres. Pendant tout ce temps, sa mère continuait à prier pour lui. Un jour, le Seigneur lui donna une vision qui la fit pleurer, car elle vit la lumière de Jésus-Christ sur le visage transformé de son propre fils. Elle dut attendre encore neuf ans avant que son fils ne se convertisse, à l'âge de trente-deux ans. Le nom de cet homme était Augustin. Il devint l'un des plus grands théologiens de l'Eglise. C'est aux prières de sa mère qu'Augustin a toujours attribué sa conversion.

"Que ta volonté soit faite sur la terre comme au ciel" (v.10)

Ce n'est pas ici de la résignation, mais une manière de nous décharger des fardeaux que nous portons. Beaucoup d'hommes et de femmes se font du souci pour les décisions plus ou moins importantes qu'ils doivent prendre. Et si nous ne voulons pas faire d'erreur, nous devons prier: *"Que ta volonté soit faite"*. Le psalmiste dit: *"Remets ton sort à l'Eternel; mets en lui ta confiance et il agira."(Psaume 37:5)* Par exemple, si vous priez pour savoir si vous faites bien de fréquenter telle ou telle personne, vous pouvez prier: *"Si cette relation n'est pas bonne, je te demande de l'arrêter. Si, au contraire, elle est bonne, je demande que rien ne vienne l'arrêter"*. Après avoir ainsi remis cette question au Seigneur, vous pouvez lui faire confiance, il agira. (Dans le chapitre suivant, nous étudierons ce sujet plus en détail; et les principes énumérés dans le chapitre doivent être pris en compte).

"Donne-nous aujourd'hui notre pain de ce jour" (v.11)

N'est-ce que de la nourriture spirituelle de la Sainte Cène ou de la Bible qu'il est question ici? Certains l'affirment. Je suis personnellement du même avis que les Réformateurs qui disent que Jésus se réfère ici à nos besoins fondamentaux. Luther dit de cette phrase qu'elle parle de *"tout ce qui est nécessaire à la préservation de la vie, comme la nourriture, un corps sain, du beau temps, une maison, un foyer, une épouse, des enfants, un gouvernement favorable et la paix"*. Dieu s'intéresse à tout ce qui nous préoccupe. De même que je désire que mes enfants me parlent de tout ce qui les trouble, Dieu veut que nous lui fassions part de ce qui nous tracasse.

Un jour, un de mes amis a demandé à une nouvelle chrétienne comment allait sa petite entreprise. Elle répondit qu'elle n'allait pas très bien. Mon ami lui a alors proposé de prier pour cela. La nouvelle chrétienne répondit: *"Je ne savais pas que cela était permis"*. Après que mon ami lui eut expliqué qu'il était légitime de partager ce genre de problème, ils prièrent. La semaine suivante, l'entreprise allait déjà beaucoup mieux. Le Notre Père nous enseigne à prier pour nos propres problèmes, à condition que le nom de Dieu, le royaume de Dieu et la volonté de Dieu soient nos priorités.

"Pardonne-nous nos offenses comme nous pardonnons aussi à ceux qui nous ont offensés" (v.12)

Jésus nous a enseignés à demander à Dieu de nous pardonner nos offenses.

Mais, à la croix, nos fautes passées, présentes et futures n'ont-elles pas été pardonnées? Oui, et nous l'avons d'ailleurs vu dans le chapitre consacré à la mort de Jésus: nous sommes complètement pardonnés pour tout, passé, présent et futur parce que à la croix, Jésus a pris sur lui tous nos péchés. Cependant, nous voyons bien que Jésus nous demande encore de prier: *"Pardonne-nous nos offenses"*. La meilleure analogie qui nous aide ici est celle que l'on trouve dans l'évangile de Jean au chapitre 13 quand Jésus, lavant les pieds de ses disciples, arrive à Pierre. Pierre lui dit: *"Non, tu ne me laveras jamais les pieds"*. Jésus lui répond: *"Si je ne te lave, tu n'auras pas de part avec moi"*. Sur quoi Pierre lance à Jésus: *"D'accord, mais alors tu laves tout mon corps"*. Mais Jésus poursuit: *"Une personne qui a pris son bain n'a plus besoin que de se laver les pieds; car son corps entier est propre"*. Cela signifie que quand nous venons à la croix, nous sommes tout à fait propres et nos fautes sont pardonnées. Mais en chemin, nous nous rendons coupables de choses qui brouillent quelque peu notre amitié avec Dieu. Notre relation est assurée, mais notre amitié est salie par ce que nous récoltons à nos pieds. Chaque jour, donc, nous devons prier: *"Seigneur, pardonne-nous nos fautes, nettoie-nous de toute impureté"*. Il n'est pas nécessaire de reprendre un bain, Jésus nous a déjà lavés, mais un nettoyage est nécessaire tous les jours.

Et Jésus poursuit en disant: *"Si vous pardonnez aux hommes leurs offenses, votre Père céleste vous pardonnera aussi; mais si vous ne pardonnez pas aux hommes, votre Père ne vous pardonnera pas non plus vos offenses."* *(Matthieu 6:14-15)* Cela ne signifie pas qu'en pardonnant aux hommes, nous pouvons mériter le pardon. Le pardon ne se mérite jamais. C'est Jésus qui l'a acquis pour nous à la croix. Mais en étant disposé à pardonnner, nous recevons le pardon de Dieu. Si nous ne voulons pas pardonner, c'est le signe que nous ne connaissons pas le pardon nous-mêmes. Si nous connaissons vraiment le pardon de Dieu, il nous est impossible de refuser le pardon.

"Ne nous induis pas en tentation, mais délivre-nous du mal" (v.13)

Dieu ne nous tente pas *(Jacques 1:13)*, mais il contrôle notre exposition aux dangers du diable *(exemple, Job 1-2)*. Chaque chrétien a ses points faibles: il a peur, il est égoïste, ambitieux, avide, orgueilleux, il convoite la chair, il bavarde, il est cynique, etc. Si nous connaissons nos faiblesses, nous pouvons prier pour en être protégés et, bien sûr, prendre toutes les dispositions possibles pour éviter la tentation. Le chapitre 10 est consacré à ce sujet.

Pourquoi prier?

Le Nouveau Testament nous exhorte à prier *"sans cesse"*. *(I Thessaloniciens 5:17; Ephésiens 6:18)*. Peu importe l'endroit: que nous soyons dans le métro, dans le bus, dans notre voiture, à vélo, que nous marchions le long d'une route, que nous soyons au lit, en pleine nuit, qu'importe? Comme dans une relation maritale, par exemple, nous pouvons jouir d'une conversation continuelle. Néanmoins, comme dans le mariage, il est parfois bon de passer du temps ensemble dans le seul but de se parler. Jésus a dit: *"Quand tu pries, entre dans ta chambre, ferme la porte et prie ton Père qui est là dans le lieu secret."* *(Matthieu 6:6)* Jésus lui-même s'isolait pour prier *(Marc 1:35)*. Il est bon pour moi d'associer prière et lecture de la Bible au début de chaque journée, quand mon esprit est le plus actif. Il est bon aussi de le faire de manière régulière. Le moment de la journée dépendra des circonstances et de nos préférences personnelles.

Si la prière individuelle est importante, la prière communautaire l'est aussi, en petits groupes de deux ou trois personnes. Jésus a dit: *"Je vous dis encore que, si deux d'entre vous s'accordent sur la terre pour demander une chose quelconque, elle leur sera accordée par mon Père qui est dans les cieux."* (Matthieu 18:19) Prier à voix haute en public est parfois difficile. Je me souviens de la première fois, deux mois après ma conversion: j'étais avec deux bons amis et nous avions décidé de prier ensemble. Nous avons prié pendant dix minutes, mais à la fin j'aurais pu essorer mon pull! Il faut cependant persévérer, car la prière en commun a une grande puissance. *(Actes 12:5)*

La prière est au coeur du christianisme, parce qu'au coeur du christianisme se trouve la relation avec Dieu. Voilà pourquoi elle est si importante pour nos vies. Comme le dit le proverbe:

De tes mots Satan se rit;

De tes labeurs il se moque;

Mais il tremble quand tu pries.

7

COMMENT DIEU NOUS GUIDE-T-IL?

NOUS AVONS TOUS DES DÉCISIONS À PRENDRE. CES DÉCISIONS CONCERNENT les relations, le mariage, les enfants, notre emploi du temps, le travail, notre foyer, l'argent, les vacances, nos biens, les dons, etc. Certaines sont capitales, d'autres, moins. Dans beaucoup de cas, il est de la plus haute importance que nous prenions les bonnes décisions, par exemple, dans le choix d'un partenaire pour la vie. Nous avons besoin de l'aide de Dieu.

Nous recevons des indications divines pour nos décisions dans la mesure où nous sommes en relation avec Dieu. Il promet de guider ceux qui marchent avec lui. Voici ce qu'il dit: *"Je t'instruirai et je te montrerai la voie que tu dois suivre" (Psaume 32:8).* Jésus promet de diriger et de guider ses disciples: *"Il appelle par leur nom les brebis qui lui appartiennent et il les conduit dehors... les brebis le suivent, parce qu'elles connaissent sa voix" (Jean 10:3-4).* Dieu désire ardemment que nous découvrions sa volonté *(Colossiens 1:9; Ephésiens 5:17).* Il se soucie de chacun d'entre nous en particulier. Il nous aime et veut nous parler de ce que nous devons faire de nos vies, tant dans les petites que dans les grandes choses.

Car Dieu a un plan pour nos vies *(Ephésiens 2:10).* Cela inquiète parfois les gens. Ils pensent: *"Je ne suis pas certain de vouloir les plans de Dieu pour ma vie. Ses plans seront-ils bons pour moi?"* Nous n'avons cependant rien à craindre. Dieu nous aime et veut vraiment le meilleur pour nos vies. Paul nous dit que la volonté de Dieu pour nos vies est *"ce qui est bon, agréable et parfait" (Romains 12:2).* Dieu dit à son peuple par le prophète Jérémie: *"Car je connais les projets que j'ai formés sur vous, dit l'Eternel, projets de paix et non de malheur, afin de vous donner un avenir et de l'espérance" (Jérémie 29:11).*

Par-là même il dit: *"Ne vous rendez-vous pas compte que j'ai vraiment le meilleur pour votre vie? J'ai préparé des merveilles".* C'est le cri du coeur de Dieu quand il a vu le malheur dans lequel son peuple était après avoir rejeté ses plans. De même aujourd'hui, nous voyons des gens dont les vies s'enlisent dans la boue la plus complète. J'ai souvent entendu des gens me dire après leur conversion: *"Si seulement j'étais devenu chrétien cinq ou dix ans plus tôt! Regarde ma vie... Quel gâchis!"*

Si nous désirons découvrir les plans de Dieu pour nous, il nous faut les lui demander. Dieu a averti son peuple, qui voulait faire des projets sans le consulter: *"Malheur, dit l'Eternel, aux enfants rebelles, qui prennent des résolutions sans moi,... qui descendent en Egypte **sans me consulter".** (Esaïe 30:1-2, gras rajouté)* Jésus est bien sûr l'exemple suprême de celui qui fait la volonté de son Père. Il était constamment *"conduit par l'Esprit"(Luc 4:1)* et ne faisait que ce qu'il voyait faire son Père *(Jean 5:19).*

Nos fautes proviennent du fait que nous ne consultons pas Dieu. Nous faisons tel projet et nous pensons: *"Je veux faire telle chose, mais je ne suis pas certain que ce soit la volonté de Dieu. Je pense qu'il vaut mieux ne pas lui demander son avis, au cas où ce ne serait pas sa volonté!"*

Dieu nous guide quand nous sommes prêts à faire sa volonté et non obstinément la nôtre. Le psalmiste dit: *"Il conduit les humbles" (Psaume 25:9)* et *"l'amitié de l'Eternel est pour ceux qui le craignent" (v.14).* Dieu guide ceux qui ont l'attitude de Marie: *"Je suis la servante du Seigneur, qu'il me soit fait selon sa volonté" (Luc 1:38).* Il nous révèle ses plans dans la mesure où nous sommes prêts à faire sa volonté.

J'aime me souvenir d'un verset particulier des Psaumes qui dit: *"Recommande ton sort à l'Eternel, mets en lui ta confiance et il agira". (Psaume 37:5)* Notre devoir est de remettre la décision au Seigneur et ensuite de lui faire confiance. Nous pouvons en être sûrs, il agira.

A la fin de nos études, un de mes amis, qui s'appelait Nicky et qui s'était converti à peu près en même temps que moi, se mit à fréquenter une non-chrétienne. Il sentait bien qu'il n'était pas bon de se marier avec elle à moins qu'elle ne se convertisse à Christ. Comme il ne voulait pas la forcer, il fit comme le psalmiste et remit son problème au Seigneur. Voici comment il pria: *"Seigneur, si cette relation n'est pas bonne à tes yeux, mets-y terme. Si elle est bonne, je te prie de faire d'elle une chrétienne avant la fin du deuxième trimestre".* Cette échéance fut un secret entre Dieu et lui.

Il mit "en lui sa confiance" et attendit qu'il agisse. Le dernier jour du deuxième trimestre arriva, et ce soir-là, ils allaient ensemble à une petite fête. Juste avant minuit, l'amie de Nicky lui demanda d'aller faire un tour en voiture. Ils montèrent dans la voiture pour aller là où la jeune fille les dirigeait d'une manière très spontanée: *"Troisième à gauche, troisième à droite, tout droit pendant quatre kilomètres, là, arrête-toi"*. Complaisant, Nicky suivait ses instructions. Ils aboutirent devant un cimetière américain au milieu duquel s'élevait une énorme croix entourée de centaines autres petites croix. La vue de ces croix fut pour elle un choc et leur symbole l'émut beaucoup. Elle fut également surprise de voir que Dieu avait ainsi utilisé ses instructions arbitraires pour attirer son attention. Elle éclata en larmes et quelques instants plus tard, elle mit sa foi en Christ. Nicky et cette jeune fille sont maintenant mariés depuis plusieurs années; ils sont heureux et ils aiment se rappeler comment la main de Dieu les a conduits à cette époque.

Une fois que nous sommes prêts à faire la volonté divine, de quelle manière devons-nous nous attendre à ce que Dieu nous parle et nous guide? Il arrive que Dieu nous parle de l'une des façons décrites ci-dessous; parfois il en utilise plusieurs, et parfois toutes, si la décision est capitale.

La place éminente des Ecritures

Nous l'avons vu, les Ecritures révèlent la volonté générale et universelle de Dieu. Il nous a communiqué ses pensées sur un grand nombre de sujets. Nous savons ainsi que certains comportements sont mauvais; cela signifie que nous pouvons être certains que Dieu ne nous guidera pas dans cette direction. Il arrive parfois qu'une personne mariée dise: *"Je suis amoureuse de telle personne et je suis persuadée que Dieu veut que je quitte mon conjoint pour commencer une nouvelle relation"*. Mais à ce sujet, la volonté de Dieu est déjà claire. Il a dit: *"Tu ne commettras pas d'adultère" (Exode 20:14)*. Nous pouvons être certains que Dieu ne nous conduira pas dans l'adultère.

D'autres disent que Dieu les conduit à épargner un peu d'argent, et pour ce faire, ils ne payent pas leurs impôts! *Romains 13.7* est cependant clair: nous devons payer tout impôt. La volonté générale de Dieu est ainsi révélée dans plusieurs domaines. Il n'est pas nécessaire de la lui demander, puisqu'il l'a déjà donnée. Si nous ne sommes pas certains de sa volonté générale, il importe que nous nous tournions vers quelqu'un qui connaît mieux la Bible que nous et qui nous dira si la Bible se prononce sur tel ou tel sujet. Dans ce cas, nous ne devons pas chercher plus loin.

Si la Bible révèle la volonté générale de Dieu, celle qui concerne nos vies personnelles ne s'y trouve pas toujours. Comme nous l'avons vu, la Bible dit que Dieu veut que la plupart des hommes et des femmes se marient. Même si le célibat est une très belle vocation, elle restera l'exception *(voir par exemple I Corinthiens 7:2)*. Nous savons que les chrétiens ne peuvent épouser que des chrétiens *(II Corinthiens 6:14)*. Cependant, la Bible ne dit pas avec qui!

Le chapitre consacré à la Bible le disait déjà: Dieu nous parle toujours à travers les Ecritures; pendant que nous lisons, par exemple. Le psalmiste dit ainsi *"Tes préceptes... sont mes conseillers" (Psaume 119:24)*. Attention! Cela ne signifie pas pour autant que la volonté de Dieu se découvre en ouvrant la Bible au hasard et en lisant ce qui se trouve sous nos yeux. Au contraire, une étude régulière, méthodique de la Bible est nécessaire pour finir par s'apercevoir avec émerveillement que le texte biblique quotidien convient à la perfection aux circonstances du jour.

Parfois, Dieu parle par un verset qui nous saute aux yeux. Ce fut mon expérience quand je crus comprendre que Dieu m'appelait à un autre travail. Chaque fois que j'avais cette impression, je notais le passage. Je finis par avoir quinze références bibliques. C'est ainsi que je laissai mon travail d'avocat et que je suivis des cours pour être formé en vue de l'ordination au sein de l'Eglise d'Angleterre.

L'Esprit nous contraint

Personne ne sait mieux que Dieu comment communiquer avec nous. Depuis le moment de notre conversion, l'Esprit de Dieu vient habiter en nous. Ce faisant, il communique avec nous et il nous faut apprendre à entendre sa voix. Jésus a dit de ses brebis (ses disciples) qu'elles reconnaissent sa voix *(Jean 10:4-5)*. Au téléphone, nous reconnaissons immédiatement la voix d'un ami, mais il nous faut plus de temps pour identifier une personne qui ne nous est pas familière. Plus nous connaissons Jésus, plus il nous sera facile de reconnaître sa voix.

Nous lisons que Paul et ses compagnons ont voulu se rendre en Bithynie, mais que *"l'Esprit de Jésus ne le leur permit pas" (Actes 16:7)*. Nous ne savons pas la manière exacte dont l'Esprit leur a parlé, mais il peut l'avoir fait de plusieurs manières.

Voici trois exemples de la manière dont l'Esprit de Dieu peut nous parler:

1. Il nous parle souvent quand nous prions

La prière n'est pas un monologue, mais une conversation. Imaginez que j'aille chez le docteur et que je lui dise: *"Docteur, j'ai beaucoup de problèmes: j'ai des champignons sous les ongles des pieds, j'ai des hémorroïdes, mes yeux sont douloureux, il me faut un vaccin contre la grippe; j'ai d'indicibles douleurs au dos et je souffre de synovite du coude".* Imaginez qu'après m'être ainsi plaint, jetant un coup d'oeil à ma montre, je dise *"Mon Dieu, comme le temps passe vite! Bon, il faut que je parte. Merci de m'avoir écouté. Au revoir, Docteur!"* Je l'entends d'ici: *"Attendez une seconde, enfin! Pourquoi ne m'écoutez-vous pas?"* Si, lorsque nous sommes en prière, nous nous bornons à parler à Dieu sans jamais l'écouter, nous commettons la même erreur. Dans la Bible, nous pouvons voir Dieu parler à son peuple. Par exemple, un jour que les chrétiens adoraient le Seigneur et jeûnaient, l'Esprit saint leur dit: *"Mettez-moi à part Barnabas et Saül pour l'oeuvre à laquelle je les ai appelés. Alors, après avoir jeûné et prié, ils leur imposèrent les mains, et les laissèrent partir"* (Actes 13:2-3).

Nous ne savons pas exactement comment le Saint-Esprit leur a parlé. Peut-être que pendant qu'ils priaient, cette pensée s'est imposée à eux. Dieu parle souvent de cette manière. On décrit cela comme une "impression" ou comme quelque chose que l'on ressent "profondément". Le Saint-Esprit peut nous parler de ces différentes façons.

Il est évident que de telles impressions et de telles pensées doivent être testées *(I Jean 4:1)*. Est-ce en accord avec la Bible? Est-ce que cela encouragera l'amour? Sinon, Dieu, qui est amour, n'est pas à l'origine de ces pensées *(I Jean 4:16)*. Y trouve-t-on un encouragement quelconque, du réconfort, nous sentons-nous plus forts *(I Corinthiens 14:3)*? Une fois la décision prise, connaissons-nous la paix de Dieu *(Colossiens 3:15)*?

2. Dieu nous parle aussi en faisant naître en nous le désir intense d'accomplir telle ou telle chose

Philippiens 2:13 déclare: *"C'est Dieu qui produit en vous le **vouloir** et le faire, selon son bon plaisir"* *(gras rajouté)*. Si nous soumettons notre volonté à la sienne, Dieu travaille en nous et change nos désirs. Pour parler de moi une fois encore, je dirais qu'avant ma conversion, s'il y avait bien une chose que je n'aurais jamais voulu faire, c'était d'être pasteur dans l'Eglise d'Angleterre. Et pourtant! Quand je suis venu à Christ et que je lui ai soumis ma volonté, mes désirs furent changés. Je ne puis maintenant penser à un plus grand privilège ou à un travail plus épanouissant pour moi que celui que je fais actuellement.

Certaines personnes pensent que Dieu leur demandera de faire la chose précise qu'ils ne veulent surtout pas faire. Je ne pense pas que Dieu agisse ainsi. Ne vous effrayez donc pas en pensant par exemple: *"Si je deviens chrétien, Dieu fera de moi un missionnaire".* Si c'est réellement sa volonté pour vous, et que vous lui soumettez votre volonté, il fera naître en vous un désir intense pour ce travail.

3. Dieu nous guide parfois de manière assez extraordinaire

Et la Bible en donne beaucoup d'exemples. A Samuel quand il était enfant, Dieu parla de manière qu'il pouvait être entendu de manière audible par le petit garçon *(I Samuel 3:4-14)*. Des anges guidèrent Abraham *(Genèse 18),* Joseph *(Matthieu 2:19)* et Pierre *(Actes 12:7)*. Dieu a souvent parlé par les prophètes dans l'Ancien et le Nouveau Testament (par exemple, Agabus dans *Actes 11:27-28; 21:10-11*). Et il a guidé par des visions (ou "images"). Voyez par exemple comment Dieu parla une nuit à Paul par une vision: ce dernier vit un Macédonien qui le suppliait en ces termes: *"Passe en Macédoine, secours-nous".* Paul et ses compagnons ont tout de suite compris que Dieu les avait appelés à prêcher l'évangile en Macédoine *(Actes 16:10).*

Nous trouvons également des exemples de Dieu qui guide par des rêves *(ex. Matthieu 1:20; 2:12-13,22).* Voici ce qui m'est personnellement arrivé: je priais pour un couple d'amis dont le mari s'était récemment converti. L'épouse, qui était une femme très intelligente, s'opposait fortement à la conversion de son mari au point qu'elle finit par devenir hostile à notre égard. Une nuit, j'eus un rêve dans lequel je vis le visage de cette femme complètement changé; ses yeux étaient remplis de la joie du Seigneur. Cela m'encouragea à prier et à rester en contact avec eux. Quelques mois plus tard, elle aussi se convertit à Jésus-Christ. Je me souviens de l'avoir regardée et d'avoir reconnu sur son visage, le visage que j'avais vu en rêve, quelques mois plus tôt.

Dans le passé Dieu a guidé de toutes ces manières, et il le fait encore aujourd'hui.

Le bon sens

Embrasser le christianisme ne signifie pas abandonner son bon sens. Le psalmiste lance un avertissement: *"Ne soyez pas comme un cheval ou un mulet sans intelligence; on les bride avec un frein et un mors, dont on les pare, afin qu'ils ne s'approchent point de toi" (Psaume 32:9).*

Les écrivains du Nouveau Testament encouragent d'ailleurs souvent leurs lecteurs à réfléchir et, assurément, ne découragent jamais l'emploi de l'intelligence *(ex. II Timothée 2:7).*

Abandonner son bon sens, c'est se mettre dans des situations absurdes. Dans son livre *Connaître Dieu*, J.I. Packer cite l'exemple d'une femme qui, chaque matin, ayant consacré la journée au Seigneur dès son réveil, *"lui demandait toujours s'il fallait qu'elle se lève ou non"*; et elle ne bougeait que si "la voix" du Seigneur lui disait de s'habiller.

S'habiller consistait pour elle à demander au Seigneur s'il fallait qu'elle revête ce vêtement ou celui-là, et très souvent, on ne la voyait qu'avec la chaussure droite; quelques fois, que les chaussettes, parfois que les chaussures. Tous les habits y passaient...[33]

En vérité, si Dieu promet de nous conduire, cela n'a pas pour but de nous éviter de réfléchir. Et au contraire, John Wesley, le père du méthodisme, a dit qu'en règle générale, Dieu nous guide en nous donnant des raisons pour agir de telle ou telle façon. C'est un point capital, dont il faut se souvenir, surtout dans les domaines du mariage et du travail.

Le bon sens doit donc nous servir de guide pour le choix d'un partenaire pour la vie. Le bon sens nous fera prendre en considération au moins trois points capitaux.

Le premier répond à la question: *"Sommes-nous spirituellement compatibles?"* Un chrétien ne devrait se marier qu'avec un autre chrétien. Paul met en garde contre ce danger *(II Corinthiens 6:14).* En pratique, si l'un des deux n'est pas chrétien, il finira presque toujours par y avoir des tensions au sein du mariage. Le chrétien se sent déchiré par son désir de servir son partenaire et par son désir de servir le Seigneur. Mais la compatibilité spirituelle représente plus que de simplement être tous deux chrétiens. Elle implique notamment que chacun des deux doit respecter la spiritualité de l'autre. Dire *"ouf, ils sont tous les deux chrétiens"* ne suffit pas.

Le deuxième point porte sur la compatibilité des personnalités. De toute évidence, notre partenaire doit être un ami intime avec qui l'on a beaucoup en commun. Ne pas avoir de relations sexuelles ensemble avant le mariage permet notamment de se concentrer sur ce domaine précis pour découvrir si les personnalités sont compatibles. Bien souvent, le côté sexuel domine lors des premières étapes d'une relation. Si le fondement n'est pas l'amitié, l'excitation sexuelle diminuant, la relation maritale risque fort de se retrouver sur une base bien fragile.

Et le troisième point abordera la question: *"sommes-nous physiquement compatibles?"* En d'autres termes, nous attirons-nous mutuellement? Etre spirituellement et personnellement compatibles n'est pas tout; la chimie joue aussi son rôle! Le monde met souvent cet aspect-là avant tout, mais dans l'ordre des priorités, il vient en tout dernier. On entend souvent dire qu'il est nécessaire d'avoir des relations intimes ensemble pour voir si sexuellement l'homme et la femme sont réellement compatibles, mais c'est une grave erreur. La découverte d'une quelconque incompatibilité grâce aux relations sexuelles est un événement si rare qu'il en est négligeable.

Je le répète, le bon sens est également capital quand nous cherchons la volonté de Dieu pour notre travail et notre carrière. En général, il vaut mieux rester dans la situation où nous sommes jusqu'à ce que Dieu nous appelle à changer de travail *(I Corinthiens 7:17-24)*. Cela étant dit, vouloir que la volonté de Dieu s'étende à notre carrière implique que nous fassions appel au bon sens, qui nous enseignera à voir loin. Il est sage de se projeter dix, quinze, vingt ans en avant et de se poser les questions suivantes: *"Où mon travail actuel me conduit-il?"*, *"Est-ce là mon objectif à long terme, ou bien ma vision d'avenir est-elle différente?"*, *"Dans ce cas, que devrais-je faire pour réaliser cette vision?"*

Le conseil des saints [34]

Le livre des Proverbes regorge de recommandations pour ceux qui recherchent de sages conseils. L'auteur de ce livre déclare que *"celui qui écoute les conseils est sage" (Proverbe 12:15)*. Il nous avertit du fait que *"les projets échouent, faute d'une assemblée qui délibère"* mais il promet qu' *"ils réussissent quand il y a de nombreux conseillers" (Proverbe 15:22)*. C'est pourquoi, il nous rappelle solennellement que *"les projets s'affermissent par le conseil" (Proverbe 20:18)*.

Si la recherche d'avis et de conseils est extrêmement importante, il ne faut pas oublier qu'ultimement, nos décisions se prennent entre nous et Dieu. Nous sommes les seuls responsables. Il ne nous est pas possible d'en rejeter la responsabilité sur d'autres ou de les blâmer si les événements tournent mal. Le "conseil des saints" fait partie de ces choses par lesquelles Dieu nous guide, mais il n'y a pas que cela. Parfois, la sagesse veut que l'on aille de l'avant malgré un avis contraire.

Face à une décision qui requiert l'avis de tiers, qui devons-nous consulter? Pour l'auteur des Proverbes, *"la crainte de l'Eternel est le commencement de la sagesse"*. Il est vraisemblable qu'il cherche l'avis de ceux qui *"craignent l'Eternel"*. Les meilleurs conseillers sont généralement des hommes et des femmes de Dieu sages, expérimentés que nous respectons. (Il est également sage de rechercher le conseil de nos parents, que nous devons honorer, même si nous avons passé l'âge d'être sous leur autorité. Même s'ils ne sont pas chrétiens, le fait qu'ils nous connaissent bien peut donner à leur conseil une remarquable perspicacité.)

Les conseils d'un chrétien mûr que je respecte ont été pour moi une aide réelle dans ma vie chrétienne dans bien des domaines. Selon les circonstances, je me suis tourné vers différentes personnes. Mais comme je suis reconnaissant à Dieu pour leur sagesse et leur aide! Le conseil de Dieu est souvent venu lorsque nous discutions ensemble.

Les décisions plus importantes de ma vie ont été prises après la consultation de plusieurs personnes. En ce qui concerne mon ordination, j'ai consulté les personnes suivantes: deux personnes que je respectais, deux de mes amis intimes, mon pasteur et ceux qui participaient à la sélection officielle.

Il ne faut pas choisir nos conseillers de façon à s'assurer à l'avance qu'ils vont approuver ce que nous avons déjà décidé de faire! Il arrive que des personnes papillonnent de conseiller en conseiller, espérant tomber sur la personne qui appuiera leurs plans. Mais cela leur permet simplement de dire: *"J'ai consulté un tel et il est d'accord"*. J'ai bien peur que cet avis ne pèse pas très lourd.

Quand on cherche conseil, on devrait choisir la personne à consulter avant tout en fonction soit de sa maturité spirituelle, ou de la relation proche qu'elle entretient avec nous; mais pas en fonction d'un éventuel accord de sa part avec nos opinions! Lorsque mes amis Nicky et Cilla Lee sont devenus chrétiens (ils sont maintenant responsables d'une église dans le centre de Londres), ils se sont demandé s'il était bon pour eux de poursuivre leur relation. En effet, quoiqu'ils fussent très amoureux l'un de l'autre, ils se savaient fort jeunes et ne comptaient pas se marier tout de suite.

Il y avait un chrétien très sage que Nicky respectait. Il savait que cet homme avait des vues tranchées sur les relations et qu'il estimait qu'entretenir une relation alors qu'on était toujours à l'université était peu sage. Prenant son courage à deux mains, Nicky décida de le consulter quand même.

L'homme demanda à Nicky: *"As-tu remis cette relation au Seigneur?"* Avec hésitation, mais avec une grande honnêteté, Nicky répondit: *"Je pense que oui, mais parfois je doute".* L'homme lui dit alors: *"Je vois que tu l'aimes. Je pense que tu dois poursuivre ta relation avec elle."*

L'avis avait d'autant plus de poids qu'il se serait attendu à toutes les réponses, sauf à celle-là. Le conseil se révéla excellent. Des années d'heureux mariage le prouvent.

Autres signes

Dieu contrôle de façon ultime tous les événements; l'auteur des Proverbes écrit: *"Le coeur de l'homme médite sa voie, mais c'est l'Eternel qui dirige ses pas" (Proverbes 16:9).* Il arrive que Dieu ouvre des portes *(I Corinthiens 16:9)* ou qu'il en ferme *(Actes 16:7).* Dans ma vie, à deux occasions, Dieu m'a placé devant une porte fermée que j'aurais tant voulu voir ouverte (d'autant que je croyais à l'époque que c'était sa volonté). J'ai prié, j'ai lutté, je me suis battu, j'ai voulu la forcer, mais la porte restait fermée. A ces deux occasions, la déception fut amère. Mais je comprends maintenant, des années plus tard, pourquoi il en fut ainsi. Et je suis même reconnaissant à Dieu pour cela. Cependant, je pense que, sur la terre, nous ne connaîtrons jamais le pourquoi de certaines portes fermées.

Certaines portes s'ouvrent parfois de manière remarquable. Le temps et les circonstances ne permettent pas de douter que la main de Dieu a agi *(ex. Genèse 24).* Michael Bourdeaux est responsable du Keston College, une unité de recherche consacrée à l'aide aux croyants dans les anciens pays communistes. Son oeuvre et ses recherches sont respectées par les gouvernements du monde entier. Il a étudié le russe à Oxford et son professeur de russe, le Dr. Zernov, lui a un jour envoyé une lettre qu'il avait lui-même reçue, disant que cela l'intéresserait peut-être. Cette lettre détaillait les souffrances de moines qui étaient battus par le KGB et subissaient des examens médicaux inhumains; comment on les arrêtait, les emmenait en camion pour les abandonner des centaines de kilomètres plus loin. Pour Michael Bourdeaux, cette lettre, simplement écrite, sans fioritures, c'était la vraie voix de l'église persécutée. Elle était signée Varavva et Pronina.

En août 1964, il fit un voyage à Moscou, et le premier soir, il rencontra de vieux amis qui lui expliquèrent comment la situation des chrétiens empirait; en particulier, lui dirent-ils, la vieille église Saint-Pierre et Saint-Paul avait été démolie. Ils lui suggérèrent d'aller voir ça de ses yeux.

Il prit donc un taxi et arriva sur les lieux au crépuscule. Arrivant sur la place où, dans sa mémoire, se dressait une très belle église, il ne vit rien qu'une barrière de quatre mètres de haut qui cachait les débris de l'église.

De l'autre côté de la place, deux femmes montaient sur la barrière pour essayer de voir... Il les observa; quand il les vit partir, il les suivit sur cent mètres et les rattrapa. *"Qui êtes-vous?"*, lui demandèrent-elles. *"Un étranger. Je voudrais savoir ce qui se passe ici en Union soviétique."*

Elles l'emmenèrent à la maison d'une autre femme qui lui demanda pourquoi il était venu. Il raconta alors l'histoire de la lettre reçue d'Ukraine, via Paris. *"Et de qui était cette lettre?"*, lui demanda-t-elle. *"De Varavva et Pronina"*, répondit-il. Un silence se fit. Il se demandait déjà s'il avait mal parlé quand la femme se mit à verser des larmes sans plus pouvoir se contrôler et, montrant les deux femmes du doigt, elle dit: *"Voici Varavva, et voici Pronina."*

La Russie compte 140 millions d'individus. L'Ukraine, d'où la lettre avait été écrite, est à une distance de 1 300 kilomètres de Moscou. Six mois s'étaient écoulés entre la rédaction de la lettre et le départ d'Angleterre de Michael Bourdeaux. Si les femmes ou si lui-même étaient arrivés sur place une heure plus tôt ou une heure plus tard, la rencontre n'aurait pas eu lieu. Voilà une des manières par lesquelles Dieu a appelé Michael Bourdeaux pour commencer l'oeuvre de toute sa vie.[35]

Ne soyez pas pressés

Parfois, la réponse de Dieu est immédiate *(ex. Genèse 24)*. Mais cela prend souvent plus longtemps: des mois, voire des années. Nous pouvons être convaincus que Dieu a un plan pour nos vies, mais la réalisation peut prendre du temps. Nous avons alors besoin de patience comme Abraham qui *"ayant persévéré, obtint ce qui lui avait été promis"* (Hébreux 6:15). Mais en attendant, il fut tenté de réaliser les promesses de Dieu par lui-même - avec les résultats désastreux que l'on connaît *(voir Genèse 16 et 21)*.

Il nous arrive d'entendre correctement ce que Dieu nous dit, mais de nous méprendre sur le moment de la réalisation de ces choses. Dieu a parlé à Joseph dans un rêve sur son destin et celui de sa famille. Joseph a sans doute cru que ces événements seraient pour bientôt, mais il dût prendre son mal en patience pendant des années. Et quand il était en prison, ne pensez-vous pas que cela a dû être difficile pour Joseph de croire à la réalisation de ses rêves? Pourtant, pendant qu'il était en attente, la réalisation se préparait *(voir Genèse 37-50)*.

Dans ce domaine précis de direction divine de nos vies, nous faisons tous des erreurs. Parfois, à l'instar d'Abraham, nous essayons de réaliser nous-mêmes les plans de Dieu; d'autres fois, à l'instar de Joseph, nous pensons que la réalisation est pour tout de suite. Certains pensent que leur vie est un tel gâchis et que leur conversion arrive tellement tard, que Dieu ne pourra rien en tirer de bon. Mais Dieu est plus grand que ces considérations pessimistes. Il est celui qui peut dire: *"Je vous remplacerai les années qu'[ont] dévorées la sauterelle" (Joël 2:25)*. Il est capable de faire quelque chose de bon du moindre reste de nos vies - si nous le lui offrons et que nous coopérons avec son Esprit.

Lord Radsock séjournait un jour dans un hôtel en Norvège; c'était au milieu du IXXe siècle. Il entendit une petite fille jouer du piano en bas dans le hall. Elle faisait un vrai chahut! "Plink...plonk...plink..." Cela le rendait fou! Au bout d'un moment, vint s'asseoir à côté d'elle un homme, qui se mit à jouer en même temps qu'elle, de manière à accompagner ses "plink, plonk". Le résultat fut d'une sublime beauté. Lord Radsock sut par après que l'homme était en fait son père, Alexandre Borodine, le créateur de l'opéra *Le Prince Igor*.

L'apôtre Paul écrit que *"toutes choses concourent au bien de ceux qui aiment Dieu, de ceux qui sont appelés selon son dessein" (Romains 8:28)*. Si nous jouons notre rôle (même maladroitement), c'est-à-dire si nous cherchons sa volonté par la lecture (la place éminente des Ecritures), par l'écoute (l'Esprit nous contraint), par la réflexion (le bon sens), par l'échange verbal (le conseil des saints), par l'observation (autres signes), et par l'attente patiente, Dieu viendra à nos côtés et "toutes choses concourront à notre bien". Il prendra nos "plink...plonk...plonk."... pour en faire un chef-d'oeuvre.

8
LE SAINT-ESPRIT

A L'UNIVERSITÉ, J'AVAIS PLUSIEURS AMIS: CINQ D'ENTRE EUX S'APPELAIENT Nicky! Généralement, on mangeait ensemble. En février 1974, la plupart d'entre nous se convertirent à Jésus-Christ. Tout de suite, nous fûmes très enthousiastes dans notre nouvelle foi. Un des Nicky, cependant, semblait se laisser quelque peu distancer par tout cela. Sa relation avec Dieu ne semblait lui faire ni chaud ni froid; il en allait de même avec la lecture de la Bible ou la prière.

Un jour, quelqu'un pria pour qu'il soit rempli de l'Esprit. Il le fut et cela transforma sa vie. Un large sourire remplit son visage. Cela devint son signe distinctif - et il rayonne encore aujourd'hui. Depuis ce moment-là, s'il se trouvait une étude biblique ou une réunion de prière à laquelle Nicky pouvait assister, on l'y rencontrait. Il aimait la compagnie d'autres chrétiens. Sa personnalité agissait comme un aimant, les gens étaient attirés par lui et il aidait beaucoup d'autres à croire et à être remplis du Saint-Esprit, comme il l'avait été.

Que lui était-il arrivé? La réponse est: l'expérience du Saint-Esprit. Nombreux sont ceux qui connaissent des choses sur Dieu le Père et sur

Jésus le Fils. Mais au sujet du Saint-Esprit, on voit beaucoup d'ignorance. C'est la raison pour laquelle pas moins de trois chapitres de ce livre sont consacrés à la troisième personne de la Trinité.

Le Saint-Esprit n'est pas un esprit quelconque ou un fantôme, c'est une Personne et il en présente tous les traits caractéristiques: il pense *(Actes 15:28)*, il parle *(Actes 1:16)*, il dirige *(Romains 8:14)*, et il peut s'attrister *(Ephésiens 4:30)*. *Romains 8:9* parle de lui comme de l'Esprit de Christ et *Actes 16:7,* comme de l'Esprit de Jésus. C'est par le Saint-Esprit que Jésus est présent parmi les siens. Il est "l'autre Jésus", comme disent les enfants.

A quoi ressemble-t-il? Le grec original lui donne parfois le nom de *parakletos (Jean 14:16),* mot difficile à rendre correctement. Cela signifie "quelqu'un appelé aux côtés de" - un conseiller, celui qui réconforte, qui encourage. Jésus a dit: *"le Père vous donnera un 'autre' conseiller".* L'expression "un autre" signifie "de la même sorte". En d'autres mots, le Saint-Esprit est exactement comme Jésus.

Dans ce chapitre, je voudrais étudier la personne du Saint-Esprit: qui il est, et ce que nous pouvons connaître de lui en retraçant son activité depuis le livre de la Genèse au chapitre 1 jusqu'au jour de la Pentecôte. Ne pensons pas que, sous prétexte que le "Mouvement pentecôtiste" est un phénomène du début du XXᵉ siècle, le Saint-Esprit le soit aussi. Il n'y aurait rien de plus faux.

Il a joué son rôle dans la création

Dès les premiers versets de la Bible, nous voyons le Saint-Esprit à l'oeuvre: *"Au commencement, Dieu créa les cieux et la terre. La terre était informe et vide, il y avait des ténèbres à la surface de l'abîme et l'Esprit de Dieu se mouvait au-dessus des eaux" (Genèse 1:1-2).*

Dans ce récit, nous voyons comment l'Esprit de Dieu est à l'origine de la création de nouvelles choses et comment il a mis de l'ordre là où régnait le chaos. Aujourd'hui, il est le même Esprit. Souvent il apporte de nouvelles choses dans la vie des gens et dans l'Eglise; il rétablit l'ordre et la paix dans les vies chaotiques, libère les hommes d'habitudes mauvaises et de dépendances et, tel un baume, répare les relations brisées.

Lorsque Dieu créa l'homme, il *"forma l'homme de la poussière de la terre et souffla dans ses narines un souffle de vie, et l'homme devint une âme vivante" (Genèse 2:7).* Le mot hébreu pour souffle est *ruah,* qui est le même mot traduit par "Esprit". Le *ruah* de Dieu a apporté la vie physique à l'homme formé de la poussière. De la même manière, il apporte la vie spirituelle aux hommes et à l'Eglise, qui tous les deux peuvent parfois être aussi secs que la poussière!

Il y a quelques années je m'entretenais avec un membre de notre clergé qui me disait que sa vie, comme celle de son église était comme cela: un peu poussiéreuse. Un jour, sa femme et lui furent remplis de l'Esprit de Dieu et cela suscita en eux un nouvel enthousiasme pour la Bible, et leurs vies en furent transformées. Son église devint ainsi un centre plein de vie. Le groupe de jeunes, fondé par son fils, lui aussi rempli de l'Esprit, connut un regain d'activités et une telle croissance qu'il devint le plus important de la région.

Beaucoup d'hommes et de femmes ont faim de vie et quand ils voient la vie de l'Esprit de Dieu dans des individus et des églises, il se sentent fortement attirés.

Il saisit des hommes précis à des moments précis pour des tâches précises.

L'Esprit de Dieu agit; il n'est pas seulement la source d'un merveilleux sentiment de chaleur! Il vient en l'homme dans un but spécifique et nous en voyons des exemples dans l'Ancien Testament.

Il peut remplir les hommes dans un but artistique. Exemple, Betsaléel. Parlant à Moïse, Dieu dit de lui: *"Je l'ai rempli de l'Esprit de Dieu, de sagesse, d'intelligence et de savoir pour toutes sortes d'ouvrages, je l'ai rendu capable de faire des inventions, de travailler l'or, l'argent et l'airain, de graver les pierres à enchâsser, de travailler le bois, et d'exécuter toutes sortes d'ouvrages" (Exode 31:3-5).*

Il est bien sûr possible d'être doué en tant que musicien, écrivain, ou artiste sans pour autant être rempli par l'Esprit de Dieu. Cependant, si l'Esprit de Dieu remplit des hommes et des femmes pour ces tâches précises, leur travail prend souvent une nouvelle dimension. Leurs oeuvres ont un impact spirituel bien plus grand. C'est une vérité certaine, quand bien même leur don naturel n'aurait rien d'exceptionnel. Les coeurs seront touchés et les vies, changées. A n'en pas douter, comme ce fut le cas avec Betsaléel.

L'Esprit peut également remplir des personnes pour une tâche de responsabilité. Au temps des Juges, le peuple d'Israël était souvent envahi par des nations étrangères, et un jour, ce fut par les Madianites. Dieu appela alors le jeune Gédéon pour qu'il prenne la tête d'Israël. Gédéon, très conscient de ses propres faiblesses, demanda: *"Avec quoi délivrerai-je Israël? Voici, ma famille est la plus pauvre en Manassé, et je suis le plus petit dans la maison de mon père" (Juges 6:15).* Cela n'empêcha pas Gédéon, après que l'Esprit de Dieu fut descendu sur lui, d'être l'un des chefs les plus formidables de tout l'Ancien Testament.

Pour une tâche de responsabilité, Dieu utilise souvent les faibles, les sous-équipés et les inadaptés, parce qu'une fois remplis de l'Esprit, ils deviennent de grands piliers dans l'Eglise. Un exemple notable est le Révérend E.J.H. "Bash" Nash. Commis dans un bureau d'assurance à dix-neuf ans, il s'est un jour converti au Christ et fut rempli du Saint-Esprit. On a écrit de lui: *"Il n'avait rien qui le mît en évidence... Il n'était ni athlète ni aventurier. Il n'avait fait aucune prouesse lors de ses études et ne possédait aucun talent artistique".* [36] John Stott, cependant (qu'il amena au Christ), dit de lui: *"Homme d'apparence quelconque, son coeur cependant brûlait pour le Christ".* A sa mort, la presse nationale et ecclésiastique résumait sa vie en ces termes:

> Bash (...), un membre du clergé paisible et modeste, n'a jamais connu les feux de la rampe, ni fait la une des journaux, ni cherché son propre avancement. Mais son influence au sein de l'église d'Angleterre ces cinquante dernières années dépassa sans doute celle de tous ses contemporains. Car combien de centaines d'hommes aujourd'hui, dont beaucoup occupent des postes haut placés, peuvent louer Dieu pour ce chrétien dont le ministère les conduisit à s'engager pour le Christ!

> Ses amis intimes et ses collègues savent qu'ils ont perdu un homme unique; ce qu'il représente aux yeux d'un si grand nombre de personnes ne se retrouvera sans doute chez nul autre que chez cet homme calme, modeste et profondément spirituel, qui vient de disparaître.[37]

En d'autres occasions, nous voyons le Saint-Esprit remplir les hommes de force et de puissance. L'histoire de Samson est bien connue. Un jour, les Philistins le lièrent de cordes. Et la Bible dit: *"Alors, l'Esprit de l'Eternel le saisit. Les cordes qu'il avait aux bras devinrent comme du lin brûlé par le feu, et ses liens tombèrent de ses mains" (Juges 15:14).*

Ce qui est physiquement vrai dans l'Ancien Testament, l'est souvent spirituellement dans le Nouveau. Ce n'est pas que nous soyons physiquement liés par des cordes, mais plutôt par des craintes, des habitudes ou des dépendances. Notre mauvais caractère nous contrôle, ou l'envie, la jalousie, la convoitise de la chair. Liés, nous savons que nous le sommes, car, malgré nous, nous succombons à ces travers. Quand le Saint-Esprit descendit sur Samson, les cordes devinrent comme du lin brûlé et il se libéra. Aujourd'hui, l'Esprit de Dieu peut libérer l'homme de tout ce qui le lie.

Plus loin dans la Bible, nous voyons comment l'Esprit de Dieu est venu sur le prophète Esaïe pour qu'il porte *"de bonnes nouvelles aux malheureux;... pour [qu'il guérisse] ceux qui ont le coeur brisé, pour [qu'il proclame] aux captifs la liberté, et aux prisonniers la délivrance" et "pour [qu'il console] les affligés" (Esaïe 61:1-3).*

Confrontés aux problèmes du monde, nous nous sentons parfois impuissants. C'était souvent vrai quand j'étais non chrétien. Je savais que je ne pouvais rien faire ou presque, pour ceux dont la vie était dans le chaos. C'est encore un peu le cas aujourd'hui, mais je sais qu'avec l'aide de l'Esprit de Dieu, nous avons effectivement quelque chose à faire. Cet Esprit nous permet d'apporter la bonne nouvelle de Jésus-Christ pour réparer les coeurs brisés; pour proclamer la liberté à ceux qui, au plus profond d'eux-mêmes, haïssent leur esclavage; pour libérer ceux que les mauvaises actions emprisonnent; et pour apporter le réconfort du Saint-Esprit (qui est en fait le Consolateur par excellence) à ceux qui sont dans la tristesse, dans le malheur ou la dépression. Si nous voulons apporter une aide qui durera pour l'éternité, nous ne pouvons le faire qu'avec l'Esprit de Dieu.

Le Père l'a promis

Nous avons vu des exemples de l'oeuvre du Saint-Esprit, mais seulement dans l'Ancien Testament. Comme le titre de la section l'indiquait, cette oeuvre concernait des hommes précis à des moments précis pour une tâche précise. En parcourant l'Ancien Testament, nous découvrons que Dieu a promis de faire une chose nouvelle. Le Nouveau Testament appelle cela "la promesse du Père". Quelle est cette chose nouvelle?

Dans l'Ancien Testament, Dieu a conclu une alliance avec son peuple: il serait leur Dieu et eux, son peuple. Dieu leur demanda de garder ses lois.

Malheureusement, le peuple fut incapable de garder ses commandements. L'Ancienne Alliance fut constamment rompue.

Mais Dieu promit qu'un jour il ferait une Nouvelle Alliance. Celle-ci serait différente: *"Je mettrai ma loi au-dedans d'eux, je l'écrirai dans leur coeur" (Jérémie 31:33)*. En d'autres mots, sous la Nouvelle Alliance, la loi serait interne et non plus externe. Quand vous partez, par exemple, pour une longue excursion, vous portez au début toutes vos provisions sur le dos. Elles vous pèsent et vous ralentissent. Mais quand vous les avez mangées, non seulement le poids a disparu, mais vous avez une nouvelle vigueur qui vient de l'intérieur. La promesse de Dieu dont parle Jérémie concerne ce temps où la loi ne serait plus un poids pesant, mais une source intérieure d'énergie. Comment cela se fera-t-il?

C'est Ezéchiel qui nous donne la réponse. Il était prophète et Dieu parla à travers lui pour donner plus de détails sur cette promesse: *"Je vous donnerai un coeur nouveau, et je mettrai en vous un esprit nouveau; j'ôterai de votre corps le coeur de pierre, et je vous donnerai un coeur de chair. Je mettrai mon Esprit en vous, et je ferai en sorte que vous suiviez mes ordonnances, et que vous observiez et pratiquiez mes lois" (Ezéchiel 36:26-27)*.

Dieu dit ici par le prophète que cela sera une réalité le jour où Dieu mettra son Esprit en nous. C'est sa manière de faire que nos coeurs durs ("coeur de pierre") deviennent tendres ("coeur de chair") pour que nous suivions ses décrets et gardions ses lois.

Jackie Pullinger a passé ses vingt dernières années dans ce qu'on appelle "la ville anarchique murée" de Hong Kong. Elle a consacré sa vie à travailler auprès des prostituées, des héroïnomanes et des gangs. Elle commença un jour sa conférence avec ces mots: *"Dieu veut que nous ayons le coeur sensible et les pieds durs. Le problème de beaucoup d'entre nous c'est que nous avons le coeur dur et les pieds sensibles"*. Les chrétiens que nous sommes devraient avoir les pieds durs en ce que nous devrions être moralement forts plutôt que faibles ou "modérés". Jackie nous en fournit un exemple brûlant, en se privant de sommeil, de nourriture et de confort pour servir les autres. Son coeur est tendre, rempli de compassion. La dureté est dans ses pieds, pas dans son coeur.

Nous venons de voir en quoi consistait "la promesse du Père" et comment elle doit se réaliser. Le prophète Joël nous dit maintenant qui elle concerne. Voici ce que Dieu dit par la bouche de Joël:

Je répandrai mon Esprit sur toute chair;
Vos fils et vos filles prophétiseront,
Vos vieillards auront des songes,
Et vos jeunes gens auront des visions.
Même sur les serviteurs et sur les servantes,
Dans ces jours-là, je répandrai mon Esprit.

(Joël 2:28-29)

Joël annonce que la promesse ne sera plus réservée à des hommes précis à un moment précis pour une tâche précise, mais qu'elle sera pour tout le monde. Dieu répandra son Esprit quel que soit le sexe de la personne *("fils et filles... serviteurs et servantes")*; quel que soit l'âge *("vieillards... jeunes gens")*; quels que soient l'origine, la race, la couleur et le rang *("même sur les serviteurs")*. Dieu se fera entendre de façons nouvelles *("prophétiseront... songes... auront des visions")*. Joël a ici prophétisé que l'Esprit serait abondamment répandu sur tous les membres du peuple de Dieu.

Toutes ces promesses restèrent cependant non réalisées pendant au moins 300 ans. Le peuple attendait et attendait la "promesse du Père". C'est avec la venue Jésus que nous constatons un regain d'activités de l'Esprit-Saint.

A la naissance de Jésus, les trompettes retentirent. Tous ceux, ou presque, qui furent concernés d'une manière ou d'une autre par sa naissance, furent remplis du Saint-Esprit. Jean-Baptiste, qui devait lui préparer le chemin, était rempli du Saint-Esprit même avant sa naissance *(Luc 1:15)*. A Marie la mère de Jésus, il fut promis: *"Le Saint-Esprit viendra sur toi et la puissance du Très-Haut te couvrira de son ombre" (Luc 1:35)*. Et quand Elisabeth, sa cousine vint en présence de Jésus, qui était toujours dans le sein de sa mère, elle fut, elle aussi, *"remplie du Saint-Esprit" (v.41)*. Même le père de Jean-Baptiste, Zacharie, fut *"rempli du Saint-Esprit" (v.67)*. Toujours, des louanges ou des prophéties accompagnent les manifestations de l'Esprit.

Jean-Baptiste associe Jésus au Saint-Esprit

Quand on demanda à Jean s'il était le Christ, il répondit: *"Moi, je vous baptise d'eau; mais il vient, celui qui est plus puissant que moi, et je ne suis pas digne de délier la courroie de ses souliers. Lui, il vous baptisera du Saint-Esprit et de feu" (Luc 3:16)*. Le baptême d'eau est très important, mais il ne suffit pas. Jésus est celui qui baptise de l'Esprit. Le mot grec signifie "immerger", "plonger" ou "envahir". C'est ce qui se passe quand nous sommes baptisés par l'Esprit. L'Esprit de Dieu doit nous envahir; nous nous y plongeons, nous sommes immergés.

On peut comparer cette expérience avec ce qui se passe quand on plonge une éponge dure et sèche dans l'eau. Peut-être y a-t-il une certaine dureté dans nos vies qui nous empêche d'absorber l'Esprit de Dieu. Il se peut qu'il faille quelque temps pour que notre dureté initiale disparaisse et que l'éponge s'imprègne. Ainsi, mettre l'éponge dans l'eau (la baptiser) est une chose, et attendre que l'eau l'envahisse (la remplisse) en est une autre. Une éponge remplie d'eau déverse littéralement des flots d'eau.

Jésus était un homme parfaitement rempli par l'Esprit de Dieu. L'Esprit de Dieu était descendu sur lui sous une forme corporelle lors de son baptême *(Luc 3:22)*. Et la Bible nous dit que *"Jésus, rempli du Saint-Esprit, revint du Jourdain, et il fut conduit par l'Esprit dans le désert" (Luc 4:1)*. Il retourna en Galilée *"revêtu de la puissance de l'Esprit". (v.14)* Dans la synagogue de Nazareth, il lut *Esaïe 61:1: "L'Esprit du Seigneur est sur moi."*... et dit: *"Aujourd'hui cette parole de l'Ecriture que vous venez d'entendre est accomplie" (v.21)*.

Jésus a prédit la venue de l'Esprit

Un jour, Jésus se rendit à une fête juive appelée la Fête des Tabernacles. Des milliers de Juifs se rendaient à Jérusalem pour y célébrer cette fête, pour se rappeler du moment où Moïse fit jaillir de l'eau d'un rocher. Les Juifs remerciaient Dieu de leur avoir donné de l'eau l'année écoulée et priaient pour en avoir encore cette année-là. Ils pensaient aussi au temps où un "torrent" toujours plus profond sortirait du temple (comme Ezéchiel l'avait prophétisé) apportant partout la vie, permettant la croissance d'arbres fruitiers dont les feuilles serviraient de remède *(Ezéchiel 47)*.

Ce passage était lu lors de la Fête des Tabernacles et le Grand Prêtre le mimait pour tous. Il descendait à la piscine de Siloé remplir une cruche en or, conduisait ensuite le peuple au temple d'où il versait l'eau dans un entonnoir à l'ouest de l'autel; l'eau s'écoulait de là par terre, anticipant ainsi le grand torrent qui coulerait du temple. D'après les traditions rabbiniques, Jérusalem était le nombril de la terre et le temple du Mont Sion en était le centre (son "ventre", son "être le plus profond").

Le dernier jour, le grand jour de la fête, Jésus, se tenant debout, s'écria: *"Si quelqu'un a soif, qu'il vienne à moi, et qu'il boive. Celui qui croit en moi, des fleuves d'eau vive couleront de son sein [le mot original signifie "ventre" ou "être le plus profond"*] , *comme dit l'Ecriture" (Jean 7:37-38).* Il était en train de dire que les promesses d'Ezéchiel et des autres ne s'accompliraient pas à l'endroit même, mais dans une Personne. C'est de l'être le plus profond de Jésus que s'écouleront des torrents d'eau. Et au sens dérivé, les fleuves d'eau vive couleront de chaque chrétien! (*"Celui qui croit en moi", v.38).* De nous, dit Jésus, ce torrent coulera, donnant la vie, permettant la croissance d'arbres aux bons fruits et apportant la guérison à d'autres, comme Dieu en avait parlé au travers d'Ezéchiel.

Jean expliqua que Jésus parlait de l'Esprit-Saint *"que devaient recevoir ceux qui croiraient en lui; car l'Esprit n'était pas encore venu" (v.38-39).* La promesse du Père, comme nous le lisons à la phrase précédente, ne s'était pas encore accomplie. Même après la crucifixion et la résurrection de Jésus, l'Esprit n'était toujours pas apparu. Plus tard, Jésus dit à ses disciples: *"J'enverrai sur vous ce que mon Père a promis; mais vous, restez dans la ville jusqu'à ce que vous soyez revêtus de la puissance d'en-haut" (Luc 24:49).*

Juste avant de remonter au ciel, Jésus promit: *"Vous recevrez une puissance, le Saint-Esprit survenant sur vous" (Actes 1:8).* Ce qui n'empêcha pas les disciples d'attendre et de prier pendant dix jours avant de recevoir la puissance. Alors, au dixième jour, qui était le dernier jour de la Pentecôte, *"il vint du ciel un bruit comme celui d'un vent impétueux, et il remplit toute la maison où ils étaient assis. Des langues, semblables à des langues de feu, leur apparurent, séparées les unes des autres, et se posèrent sur chacun d'eux. Et ils furent tous remplis du Saint-Esprit, et se mirent à parler en d'autres langues, selon que l'Esprit leur donnait de s'exprimer" (Actes 2:2-4).*

L'Esprit est enfin venu, la promesse du Père s'est accomplie. La foule n'en revient pas, elle ne comprend pas.

Pierre se lève alors et explique. Il revient sur la promesse de Dieu dans l'Ancien Testament et explique comment tous leurs espoirs et toutes leurs aspirations se réalisent maintenant sous leurs yeux. Il explique que Jésus *"a reçu du Père le Saint-Esprit qui avait été promis, et il l'a répandu, comme vous le voyez et l'entendez" (Actes 2:33).*

Quand la foule lui demande ce qu'elle doit faire, Pierre leur répond de se repentir et de se faire baptiser au nom de Jésus pour recevoir le pardon des péchés. Il leur promet aussi qu'ils recevront le don du Saint-Esprit, car, dit-il, *"la promesse est pour vous, pour vos enfants, et pour **tous** ceux qui sont au loin, en aussi grand nombre que le Seigneur notre Dieu les appellera" (v.39, gras rajouté).*

Depuis lors, l'Esprit est avec nous. La promesse du Père s'est accomplie. Chaque chrétien reçoit cette promesse. Elle n'est plus pour des hommes précis à des moments précis pour des tâches précises. Elle est pour tous les chrétiens; elle est pour vous, elle est pour moi.

9

L'OEUVRE DU SAINT-ESPRIT

JÉSUS RÉPONDIT: "EN VÉRITÉ, EN VÉRITÉ, JE TE LE DIS, SI UN HOMME NE NAÎT d'eau et d'Esprit, il ne peut entrer dans le royaume de Dieu. Ce qui est né de la chair est chair, et ce qui est né de l'Esprit est esprit. Ne t'étonne pas que je t'aie dit: il faut que vous naissiez de nouveau. Le vent souffle où il veut, et tu en entends le bruit; mais tu ne sais d'où il vient, ni où il va. Il en est ainsi de tout homme qui est né de l'Esprit" (Jean 3:5-8).

Il y a quelques années, j'étais dans une église à Brighton. Une des monitrices de l'école du dimanche parlait de ce qui s'était passé le dimanche précédent, lorsqu'elle avait raconté aux enfants ce que Jésus enseigne à propos de la nouvelle naissance dans *Jean 3:5-8.* Elle tentait d'expliquer aux enfants la différence entre la naissance physique et la naissance spirituelle. Alors pour essayer de les faire parler sur ce sujet, elle demanda: *"Est-ce qu'on naît chrétien?"* Et un petit garçon a répondu: *"Non, mademoiselle, quand on naît, on naît normal!"*

L'expression *"naître de nouveau"* est devenue un cliché. Popularisée en Amérique, elle a même été utilisée dans la publicité pour les voitures. En fait, c'est Jésus le premier qui a employé cette expression et ce, pour parler des hommes et des femmes qui sont *"nés de l'Esprit" (Jean 3:8).*

Un bébé naît parce qu'un homme et une femme se sont unis dans une relation sexuelle. Dans le domaine spirituel, quand l'Esprit de Dieu et l'esprit de l'homme ou de la femme se mettent ensemble, il se crée un nouvel être. Un être spirituel est né. Voilà ce dont Jésus parle quand il déclare: *"Il faut que vous naissiez de nouveau".*

Jésus disait que la naissance physique n'est pas suffisante. Il faut que nous naissions de nouveau par l'Esprit. C'est ce qui se passe quand nous devenons chrétiens. Chaque chrétien est né de nouveau. En connaître le moment exact ne nous est peut-être pas possible, mais tout comme nous savons que nous vivons physiquement, de la même manière, nous devrions savoir que nous sommes spirituellement vivants.

Un enfant naît dans sa famille; lorsque nous naissons de nouveau spirituellement, nous entrons dans la famille chrétienne. Comprendre comment fonctionne une famille aide à comprendre l'essentiel de l'oeuvre du Saint-Esprit. En effet, le Saint-Esprit nous assure une bonne relation avec le Père et nous aide à développer cette relation. Son oeuvre en nous fait en sorte que des liens se créent avec les autres frères et soeurs en Christ. Il donne à chaque membre de cette famille chrétienne des dons et des talents de sorte que c'est grâce à lui que la famille grandit.

Dans ce chapitre, nous étudierons chacun des aspects de son oeuvre en nous, chrétiens. Avant que nous ne devenions chrétiens, l'oeuvre de l'Esprit consiste principalement à nous convaincre de l'existence du péché et du besoin que nous avons de Jésus-Christ, à nous convaincre de la vérité et à nous aider à placer notre foi en lui *(Jean 16:7-15)*.

Fils et filles de Dieu

Au moment où nous venons à Christ, nous recevons le pardon complet. La barrière qui nous séparait de Dieu est levée. Paul dit: *"Il n'y a plus aucune condamnation pour ceux qui sont en Jésus-Christ" (Romains 8:1)*. Jésus a pris sur lui nos péchés passés, présents et futurs. Comme le dit le prophète Michée dans son livre au chapitre 7, verset 19, Dieu jette tous nos péchés au fond de la mer; ce qui a fait dire à Corrie Ten Boom, des Pays-Bas: *Et il y met un panneau sur lequel on peut lire "Pêche interdite"*.

Non seulement notre casier est rendu vierge, mais nous devenons fils et filles de Dieu. Et quoique tous les hommes aient été créés par Dieu, tous ne sont pas enfants de Dieu. Seuls ceux qui reçoivent Jésus, seuls ceux qui croient en son nom reçoivent ce pouvoir de devenir enfants de Dieu *(Jean 1:12)*. Cette filiation n'est pas naturelle, mais spirituelle. Enfants de Dieu, nous le devenons en naissant par l'Esprit.

On a dit de la lettre aux Romains qu'elle était comme l'Himalaya du Nouveau Testament. Le chapitre 8 est le Mont Everest et le sommet de l'Everest, ce sont les versets 14 à 17.

"Car tous ceux qui sont conduits par l'Esprit de Dieu sont fils de Dieu. Et vous n'avez point reçu un esprit de servitude pour être encore dans la crainte; mais vous avez reçu un esprit d'adoption, par lequel nous crions: Abba! Père! L'Esprit lui-même rend témoignage à notre esprit que nous sommes enfants de Dieu. Or, si nous sommes enfants, nous sommes aussi héritiers: héritiers de Dieu, et cohéritiers de Christ, si toutefois nous souffrons avec lui, afin d'être glorifiés avec lui" (Romains 8:14-17).

En premier lieu, il n'existe pas de plus grand privilège qu'être enfant de Dieu. Sous la loi romaine, si un adulte voulait un héritier, il pouvait soit choisir un de ses fils, soit adopter un fils. Dieu, lui, n'a qu'un fils engendré, Jésus, mais il en a adopté un grand nombre. Il existe une légende qui raconte l'histoire d'un roi qui a adopté des enfants abandonnés pour en faire des princes. En Christ, la légende devient réalité. Il n'y a pas de plus grand honneur.

Né en 1794, Billy Bray était un ouvrier mineur soûlard et un homme de mauvaise vie. Il se mêlait toujours à des bagarres et ses querelles domestiques étaient nombreuses. A l'âge de vingt-neuf ans, il devint chrétien. En rentrant à la maison, il dit à sa femme: *"Tu ne me verras plus jamais soûl, avec l'aide du Seigneur"*. Et en effet, elle ne le vit jamais plus soûl. Les paroles de Billy, le ton de sa voix et ses regards exerçaient comme une puissance magnétique. Des foules de mineurs se déplaçaient pour l'entendre prêcher. Beaucoup se convertirent et l'on vit se produire de remarquables guérisons. Il louait continuellement Dieu, disant qu'il avait d'innombrables raisons d'être heureux. Il disait de lui-même qu'il était "un jeune prince". Il était le fils adoptif de Dieu, du Roi des rois, il était donc prince, en possession de droits et de privilèges royaux. Son expression préférée était: *"Je suis le fils d'un Roi"*.[38]

Quel statut est comparable au nôtre, à celui de fils et filles adoptés par le Créateur de l'univers?

En deuxième lieu, comme enfants de Dieu, nous jouissons de la plus intime des relations avec lui. Paul déclare que par l'Esprit, nous crions *"Abba! Père"*. Nulle part dans l'Ancien Testament, on ne voit Dieu appelé Abba. Seul Jésus employait cette appellation. Quoiqu'il soit impossible de traduire parfaitement ce mot araméen Abba, la traduction la plus proche est sans doute "cher Père" ou "Papa". Jésus nous autorise maintenant à partager cette relation intime avec Dieu quand nous recevons son Esprit. *"Vous n'avez pas reçu un esprit de servitude pour être encore dans la crainte; mais vous avez reçu un esprit d'adoption" (Romains 8:15).*

Le Prince Charles d'Angleterre possède beaucoup de titres officiels: Héritier présomptif de la Couronne, son Altesse royale, Prince de Galles,

Duc de Cornouailles, Chevalier de l'Ordre de la Jarretière, Colonel en Chef du Régiment Royal de Galles, Duc de Rothesay, Chevalier du Chardon, Commandant de la Royal Navy, Grand Maître de l'Ordre de Bath, Comte de Chester, Comte de Carrick, Baron de Renfrew, Seigneur des Îles et Grand Intendant d'Ecosse. Nous nous adressons à lui en disant Votre Altesse Royale, mais je suppose que ses deux fils, William et Harry, lui disent: "papa". Enfants de Dieu, nous bénéficions d'une intimité avec notre Roi céleste. John Wesley, très religieux avant sa conversion, a dit qu'en se convertissant il avait *"échangé une foi de serviteur pour une foi de fils"*.

En troisième lieu, l'Esprit nous donne la plus profonde expérience possible de Dieu. *"L'Esprit lui-même rend témoignage à notre esprit que nous sommes enfants de Dieu" (v.16).* Il veut que la certitude d'être enfant de Dieu soit profondément ancrée en nous. De la même manière que je désire que mes enfants sachent que je les aime et qu'ils jouissent d'une bonne relation avec moi, ainsi, Dieu désire que ses enfants soient certains de son amour et de la réalité de leur relation avec lui.

L'évêque sud-africain Bill Burnett est un homme qui a expérimenté assez tard dans sa vie cette réalité d'être un enfant de Dieu. Je l'ai personnellement entendu dire: *"Quand je devins évêque, je croyais en la théologie [en la vérité sur Dieu], mais pas en Dieu. En pratique, j'étais un athée. Je cherchais la justice en faisant ce qui était bien".* Un jour, alors qu'il avait déjà quinze années de ministère derrière lui, il se mit à prêcher pour un service de confirmation sur le texte de l'épître aux Romains qui dit: *"Or, l'espérance ne trompe point, parce que l'amour de Dieu est répandu dans nos coeurs par le Saint-Esprit qui nous a été donné". (Romains 5.5)* Après sa prédication, il rentra chez lui, et après avoir avalé un remontant, il prit un journal. Pendant qu'il lisait, il crut discerner la voix du Seigneur qui lui disait: *"Retourne prier".* Il retourna dans sa chapelle, s'agenouilla et entendit le Seigneur lui dire: *"Je veux ton corps".* Il ne comprenait pas pourquoi (grand et mince, il se disait: *"je ne suis pas tout à fait Monsieur Univers"*). Mais il se donna tout entier au Seigneur. *"Ensuite",* poursuit-il, *"ce que j'avais prêché se réalisa. J'expérimentai des secousses électriques d'amour".* Il se retrouva allongé sur le sol et entendit le Seigneur lui dire: *"Tu es mon fils".* Cette expérience se révéla être un point déterminant dans sa vie et son ministère. Il savait que ce qui s'était passé était bien réel. Depuis, à travers son ministère, bien d'autres personnes ont expérimenté la réalité de ce témoignage de l'Esprit qui dit à notre esprit que nous sommes enfants de Dieu.

En quatrième lieu, Paul nous dit qu'être un fils ou une fille de Dieu confère la plus grande sécurité. Car si nous sommes enfants de Dieu, nous sommes aussi *"héritiers de Dieu et cohéritiers avec Christ" (Romains 8:17)*. Sous la loi romaine, un fils adoptif prenait le nom de son père et héritait de la propriété. En tant qu'enfants de Dieu, nous sommes ses héritiers. La seule différence est que nous héritons non à la mort du père, mais à la nôtre. Voilà pourquoi Billy Bray aimait au plus haut point penser que *"son Père céleste [lui] avait réservé une gloire et des bienfaits éternels"*. Nous jouirons d'une éternité d'amour avec Jésus.

Paul ajoute: *"...si toutefois nous souffrons avec lui, afin d'être glorifiés avec lui" (v.17)*. Il ne s'agit pas ici d'une condition, mais d'une simple observation. Les chrétiens s'identifient à Jésus-Christ. Cela pourra signifier certains rejets et de l'opposition dans ce monde-ci, mais cela n'est rien comparé à notre héritage d'enfants de Dieu.

Comment développer cette relation?

La naissance n'est pas seulement le point culminant de la période de gestation. Elle est le commencement d'une nouvelle vie et de nouvelles relations. Nos relations avec nos parents grandissent et s'approfondissent sur une longue période, si du moins nous passons du temps avec eux.

Notre relation avec Dieu (voir les chapitres précédents), grandit et s'approfondit dans la mesure où nous passons du temps avec lui. L'Esprit de Dieu nous aide à développer cette relation avec Dieu, il nous conduit dans la présence du Père. *"Car par lui [Jésus] les uns et les autres [Juifs et païens] nous avons accès auprès du Père, dans un même Esprit" (Ephésiens 2:18)*. Au moyen de Jésus, par l'Esprit, nous accédons à la présence de Dieu.

C'est Jésus qui, par sa mort sur la croix, a ôté la barrière qui nous séparait de Dieu. Voilà pourquoi il nous est possible de venir dans la présence de Dieu. Sommes-nous pleinement conscients de cela quand nous prions?

Quand j'étais à l'université, j'avais une chambre au-dessus de la banque Barclays, dans la rue principale. C'est dans cette chambre que nous nous rencontrions souvent pour manger le midi. Un jour nous nous demandions si le bruit que nous faisions s'entendait dans la banque. Et pour le savoir, nous avons décidé de faire une petite expérience. Kay, une fille du groupe, descendit dans la banque; il était midi et la banque était pleine de clients. Nous avions décidé de faire progressivement de plus en plus de bruit. D'abord, quelqu'un ferait des sauts sur le sol: une, puis deux, puis trois, jusqu'à cinq personnes à la fois. Ensuite on sauterait depuis les chaises, puis de la table. Nous voulions savoir à partir de quel moment le bruit s'entendrait dans la banque.

Le fait est que le plafond était plus mince que nous l'avions pensé. Le premier qui sauta se fit distinctement entendre. Avec le deuxième, on entendit un bruit sourd. Le vacarme de cinq personnes sautant ressembla bientôt au roulement du tonnerre. Dans la banque soudain devenue silencieuse, tous les regards étaient tournés vers le plafond. Les clients se demandaient se qui se passait. Kay, étant au milieu de la banque, ne se demandait pas ce qui se passait, mais plutôt ce qu'elle devait faire: "Sortir?", cela paraîtrait bizarre. "Rester?" Le bruit allait s'empirer! Elle décida de rester. Pendant ce temps, le bruit allait en augmentant. Finalement, quand des morceaux de polystyrène commencèrent à tomber du plafond, craignant que celui-ci ne s'écroule, elle sortit en courant pour nous dire que notre expérience avait été concluante: on pouvait effectivement nous entendre dans la banque!

Grâce à Jésus, Dieu nous entend quand nous prions. Il n'est nul besoin de faire des pieds et des mains pour cela. L'accès en sa présence est immédiat.

L'oeuvre de l'Esprit consiste aussi à nous aider à prier *(Romains 8:26)*. L'important n'est pas l'endroit, notre position ou la formulation, l'important est de savoir si nous prions dans l'Esprit. Toutes les prières doivent être conduites par l'Esprit. Sans son assistance, la prière est sans vie et ennuyeuse. Dans l'Esprit, nous sommes saisis pour être dans la divine Présence, et la prière devient alors l'activité la plus importante de nos vies.

Pour que notre relation avec Dieu se développe, il nous faut également comprendre ce qu'il nous dit. Et ici encore, c'est l'Esprit qui nous assiste. Paul déclare: *"Je fais mention de vous dans mes prières, afin que le Dieu de notre Seigneur Jésus-Christ, le Père de gloire, vous donne un esprit de sagesse et de révélation dans sa connaissance; qu'il illumine les yeux de votre coeur"*. L'Esprit de Dieu est un Esprit de sagesse et de révélation: il illumine nos yeux pour que, par exemple, nous comprenions ce que Dieu dit dans toute la Bible.

Avant d'être chrétien, je lisais la Bible et j'entendais souvent des passages bibliques, mais je ne la comprenais pas. Pour moi, cela ne voulait rien dire. Et la raison en est que je n'avais pas l'Esprit de Dieu pour venir interpréter sa parole. L'Esprit est le meilleur interprète de la Parole.

En fait, le christianisme est une religion que l'on ne peut comprendre que si le Saint-Esprit éclaire nos yeux. Nous pouvons voir suffisamment, de manière à faire un pas de foi, qui n'est d'ailleurs pas aveugle; mais la vraie compréhension est une conséquence de la foi. Saint Augustin a dit: *"Je crois pour pouvoir comprendre"*.[39] C'est seulement à partir du moment où nous croyons et que nous recevons le Saint-Esprit que nous sommes à même de comprendre vraiment la révélation de Dieu.

L'Esprit de Dieu nous aide à développer cette relation et à la maintenir. En effet, les gens se font souvent du souci en pensant qu'ils ne seront pas capables de persévérer dans la vie chrétienne. Et ils ont raison. Par nous-mêmes, cela est impossible. Mais Dieu, par son Esprit, permet que cette relation dure. L'Esprit crée la relation et l'Esprit la maintient. Notre dépendance est totale.

Comme dans une famille

Je trouve toujours cela fascinant, de voir combien les enfants ressemblent à leurs parents, alors que les parents eux-mêmes ne se ressemblent pas. Pourtant même mari et femme après des années, finissent parfois par se ressembler tellement ils passent du temps ensemble!

Le temps que nous passons dans la présence de Dieu permet à son Esprit de nous transformer. Comme Paul le dit: *"Nous tous dont le visage découvert reflète la gloire du Seigneur, nous sommes transformés en la même image, de gloire en gloire, par l'Esprit du Seigneur"* (II Corinthiens 3:18). Nous sommes transformés moralement, de manière à ressembler à Jésus. Le fruit de l'Esprit se développe dans nos vies. Paul nous dit que *"le fruit de l'Esprit est l'amour, la joie, la paix, la patience, la bienveillance, la bonté, la fidélité, la douceur et la tempérance"* (Galates 5:22). Telles sont les marques visibles de l'oeuvre du Saint-Esprit dans nos vies. Ce n'est pas que nous devenions parfaits du jour au lendemain; cependant, le changement doit finir par se voir.

La liste des fruits de l'Esprit commence par l'amour. L'amour repose au coeur même du christianisme. La Bible est l'histoire de l'amour de Dieu pour nous. Son désir est que nous l'aimions en retour, lui et notre prochain. Un amour toujours plus grand pour Dieu et pour notre prochain est un sceau de l'oeuvre de l'Esprit dans nos vies. Sans cet amour, tout le reste ne vaut rien.

La joie, ensuite. Le journaliste Malcolm Muggeridge a écrit: *"La manifestation la plus caractéristique et édifiante d'une conversion est l'extase, une joie indicible qui inonde notre être, qui dissout nos peurs dans le néant et qui élève jusqu'aux cieux nos espérances"*.[40] Cette joie ne dépend pas des circonstances extérieures; elle vient de l'intérieur, de l'Esprit. Richard Wurmbrand, emprisonné pendant des années pour sa foi et fréquemment torturé, a écrit à propos de cette joie: *"Seul dans ma cellule, revêtu de haillons et souffrant de la faim et du froid, chaque nuit, je dansais de joie ... j'étais parfois à ce point rempli de joie, que je pensais que j'allais exploser si je ne l'exprimais pas".*[41]

Le troisième fruit de la liste est la paix. Sans Christ, la paix intérieure ne veut pas dire grand'chose. Le mot grec et son équivalent hébreu "shalom" signifient "plénitude", "bon état", "bien-être" et "unité avec Dieu". Le coeur humain languit après cette paix. Epictète, philosophe païen du premier siècle, a dit: *"Si l'empereur décide des temps de paix sur terre et dans les mers, il ne peut cependant pas instaurer la paix là où règnent la passion, la tristesse et l'envie. Instaurer cette paix du coeur, à laquelle l'homme aspire plus encore qu'à la paix extérieure, est une prérogative qui ne lui appartient pas."*

Contempler ce fruit de l'Esprit dans les vies transformées à la ressemblance de Jésus-Christ est une pure merveille. Une octogénaire de notre assemblée disait d'un ancien pasteur qu'il *"ressemble de plus en plus à notre Seigneur"*. Y a-t-il plus beau compliment? Nous rendre semblables à Jésus est l'oeuvre du Saint-Esprit; nous répandons ainsi partout où nous allons le parfum de sa connaissance *(II Corinthiens 2:14)*.

L'unité dans la famille

Après notre conversion, étant des fils et des filles de Dieu, nous nous joignions à une grande famille. Le désir de Dieu, comme celui d'un parent normal, est que la famille soit unie. Jésus lui-même a prié pour l'unité parmi ses disciples *(Jean 17)*. Paul a supplié les chrétiens de la ville d'Ephèse de *"s'appliquer à garder l'unité de l'Esprit par le lien de la paix"* *(Ephésiens 4:3, gras rajouté)*.

C'est le même Esprit qui vit dans chaque chrétien où qu'il soit, quels que soient la confession, le contexte, la couleur de peau, la race. Le même Esprit habite chaque enfant de Dieu et il désire que ses enfants soient unis. Une église divisée est un non-sens, car il y a *"un seul corps et un seul Esprit, comme aussi vous avez été appelés à une seule espérance. Il y a un seul Seigneur, une seule foi, un seul baptême. Il y a un seul Dieu et Père de tous, qui est au-dessus de tout, et partout, et en nous tous"* *(Ephésiens 4:4-6, gras rajoutés)*.

Le même Esprit habite les chrétiens de Russie, de Chine, d'Afrique, d'Amérique, du Royaume-Uni, de Belgique, de France, de Suisse, du Québec, etc. Dans un certain sens, la confession importe peu - catholique romain ou protestant luthérien, méthodiste, baptiste, pentecôtiste, évangélique ou membre d'une église de maison. L'important est de savoir si nous avons ou non l'Esprit de Dieu. Une personne habitée par l'Esprit de Dieu est notre frère ou notre soeur, elle est chrétienne. Le privilège d'appartenir à cette grande famille est incommensurable et une des grandes joies de la conversion est cette expérience de l'unité. Les relations au sein d'une église sont d'une intimité et d'une profondeur uniques. Appliquons-nous à garder cette unité de l'Esprit à tous les niveaux: petits groupes, assemblées, église locale et Eglise universelle.

Des dons pour tous ses enfants

Dans une famille, la ressemblance (probable) et l'unité (souhaitable) n'excluent pas la diversité (certaine). Chaque enfant est unique, même des jumeaux *"identiques"* ne se ressemblent pas en tous points. Ainsi en est-il dans le corps de Christ. Chaque chrétien est différent; chacun contribue différemment au bien de l'Église, et chacun a reçu un don différent. Le Nouveau Testament donne une liste des dons de l'Esprit. Dans sa première lettre aux Corinthiens, Paul en cite neuf:

> *"Or, à chacun la manifestation de l'Esprit est donnée pour l'utilité commune. En effet, à l'un est donnée par l'Esprit une parole de sagesse; à un autre, une parole de connaissance, selon le même Esprit; à un autre, la foi, par le même Esprit; à un autre, le don des guérisons, par le même Esprit; à un autre, le don d'opérer des miracles; à un autre, la prophétie; à un autre, le discernement des esprits; à un autre, la diversité des langues; à un autre, l'interprétation des langues. Un seul et même Esprit opère toutes ces choses, les distribuant à chacun en particulier comme il veut" (I Corinthiens 12:7-11).*

D'autres passages mentionnent d'autres dons: celui d'apôtre, d'enseignant, d'aide, d'administrateur *(I Corinthiens 12:28-30),* d'évangéliste et de pasteur *(Ephésiens 4),* don pour le service, l'encouragement, la libéralité, la présidence, la miséricorde *(Romains 12:7),* le don d'exercer l'hospitalité et de parler *(I Pierre 4).* De toute évidence, la liste n'est pas exhaustive.

Tout don agréable vient de Dieu; même si certains, comme par exemple le don d'exercer des miracles, manifestent plus clairement la puissance surnaturelle de Dieu. Par dons spirituels, on peut entendre les talents naturels transformés par le Saint-Esprit. Comme Jurgen Moltmann, théologien allemand, le dit: *"Par l'appel personnel de Dieu, en principe tout ce dont un homme ou une femme est présentement ou potentiellement capable, peut devenir charismatique [un don de l'Esprit], si seulement ces capacités sont utilisées en Christ".*

Ces dons sont accordés à tous les chrétiens. L'expression fréquente "à chacun" de *I Corinthiens 12* montre bien que chaque chrétien est membre du corps de Christ. Il y a un seul corps, mais plusieurs membres *(v. 12)*. Nous sommes baptisés par (ou dans) un seul Esprit *(v. 13)*. Nous avons tous été abreuvés d'un seul Esprit *(v. 13)*. Il n'y a pas de chrétiens de première ou de seconde classe. Tous les chrétiens reçoivent l'Esprit, tous les chrétiens reçoivent des dons spirituels.

Mettre ses dons en pratique est un besoin pressant, car un des gros problèmes de l'Eglise en général est que ceux qui exercent leurs dons peuvent se compter sur les doigts d'une main. Expert dans la croissance des Eglises, Eddie Gibbs dit: *"Le taux élevé de chômage n'est rien comparé à la situation dans les églises"*. [42] Il veut dire que dans les églises, toutes les charges incombent à quelques personnes, qui sont complètement épuisées, alors que les autres sont là à ne rien faire. Quelqu'un a un jour comparé l'Eglise à un match de football où un public qui manque désespérément d'exercice regarde vingt-deux joueurs qui manquent désespérément de repos!

L'église ne peut oeuvrer de manière efficace que si tout le monde y joue son rôle. David Watson, écrivain et responsable d'église disait que *"dans diverses traditions, l'Eglise a été pendant des années soit centrée sur la chaire, soit sur l'autel. Dans les deux cas, c'est le pasteur ou le prêtre qui a eu le rôle principal"*. [43] Répétons-le, l'Eglise ne sera efficace que le jour où chaque personne mettra ses dons en pratique.

A chacun d'entre nous, l'Esprit de Dieu distribue des dons. Dieu ne nous demande pas d'en avoir plusieurs, mais il nous demande de manière certaine d'utiliser ceux que nous avons et d'en désirer davantage *(I Corinthiens 12:31;14:1)*.

La famille grandit

Une famille grandit, cela va de soi. Dieu a dit à Adam et Eve: *"Soyez féconds, multipliez"*. S'étonnera-t-on que la famille de Dieu grandisse aussi? Une fois encore, c'est ici l'oeuvre du Saint-Esprit. Jésus a dit: *"Vous recevrez une puissance, le Saint-Esprit survenant sur vous, et vous serez mes témoins à Jérusalem, dans toute la Judée, dans la Samarie, et jusqu'aux extrémités de la terre"* (Actes 1:8).

L'Esprit de Dieu crée le désir et la capacité d'en parler aux autres. Le dramaturge Murray Watts raconte l'histoire d'un jeune homme qui, bien que convaincu de la vérité du christianisme, était paralysé à l'idée d'avoir à dire à d'autres qu'il était chrétien. Il était épouvanté à l'idée que l'on se moque de lui et qu'on le traite de fanatique.

Pendant des semaines, il essaya de ne plus penser à la religion, sans succès. C'était comme s'il entendait une petite voix dans sa conscience qui répétait: *"Suis-moi"*.

N'en pouvant plus, il se rendit chez un chrétien, qu'il savait converti depuis plus d'un demi-siècle. Il lui raconta son cauchemar, ce fardeau terrible que représentait pour lui le fait d'avoir à *"rendre témoignage à la lumière"*, et comment cela l'empêchait de devenir chrétien. Le vieil homme soupira et secoua la tête. *"C'est une affaire entre toi et le Christ"*, dit-il. *"Pourquoi t'inquiéter de la réaction d'autres personnes?"* Le jeune inclina lentement la tête.

"Rentre chez toi", dit le vieil homme. *"Va dans ta chambre, seul. Oublie le monde, ta famille, fais de ta conversion un secret entre toi et Dieu seuls."*

Pendant qu'il parlait, le jeune homme sentait son fardeau tomber. *"Vous voulez dire que je n'aurai pas à en parler à d'autres?"*

"Oui", répondit l'homme".

"A absolument personne?"

"Pas si tu ne le veux pas". Jamais personne n'avait osé lui donner un pareil conseil.

"Vous êtes certain de ce que vous dites?" demanda le jeune chrétien, tremblant d'excitation. *"Cela peut-il être vrai?"*

"C'est vrai pour toi", répondit l'homme.

Alors le jeune homme rentra chez lui, s'agenouilla et se convertit à Christ. Immédiatement après, il descendit les escaliers, et pénétra dans la cuisine, où sa femme, son père et trois amis étaient assis. *"Vous rendez-vous compte"*, dit-il tout excité, *"qu'il est possible d'être chrétien sans le dire à tout le monde "*[44]

Quand nous expérimentons l'Esprit de Dieu, nous voulons en parler à d'autres. Ainsi grandit la famille chrétienne, toujours en croissance. Elle devrait constamment grandir, attirant de nouvelles personnes, qui reçoivent elles-mêmes la puissance du Saint-Esprit pour témoigner de Jésus.

Dans ce chapitre, donc, j'ai bien insisté sur le fait que chaque chrétien est habité par le Saint-Esprit. Paul dit: *"Si quelqu'un n'a pas l'Esprit de Christ, il ne lui appartient pas"*. (Romains 8:9) Et, de fait, tout chrétien n'est pas forcément rempli de l'Esprit, car Paul écrit aux chrétiens d'Ephèse en disant: *"Soyez remplis de l'Esprit" (Ephésiens 5:18)*. Mais comment peut-on être rempli de l'Esprit? C'est précisément le sujet du chapitre suivant.

J'ai commencé le chapitre 7 en parlant de *Genèse 1:1-2* (les premiers versets de la Bible) et maintenant je voudrais terminer ce chapitre en mentionnant *Apocalypse 22:7* (un des derniers versets de la Bible). En effet, l'Esprit de Dieu agit des premiers aux derniers versets, de la Genèse à l'Apocalypse.

"Et l'Esprit et l'épouse disent: Viens. Et que celui qui entend dise: Viens. Et que celui qui a soif vienne; que celui qui veut prenne de l'eau de la vie, gratuitement" (Apocalypse 22:17).

Dieu veut remplir chacun de nous de son Esprit. Certains soupirent après l'Esprit, d'autres ne sont pas certains de le vouloir et, dans ce cas, ils n'ont pas vraiment soif. Si c'est votre cas, pourquoi ne pas prier pour avoir soif? Dieu nous prend tels que nous sommes. Si nous avons soif et que nous demandons, Dieu nous donnera *"l'eau de la vie, gratuitement"*.

10

ETRE REMPLI DU SAINT-ESPRIT

L'ÉVANGÉLISTE J.JOHN FIT UN JOUR UNE CONFÉRENCE SUR LA PRÉDICATION. Une des choses qu'il releva fut que les prédicateurs, trop souvent, exhortent à faire telle ou telle chose sans jamais dire comment le faire. *"Lisez votre Bible"*, disent-ils. *"Oui, mais comment?"* *"Priez plus"*, répondent-ils. *"Oui, mais comment?"*, *"Parlez de Jésus aux autres"* répondent-ils. *"Oui, mais comment?"*

Vous l'aurez compris, dans ce chapitre, j'aborde la question de savoir comment nous pouvons être remplis de l'Esprit.[45]

Dans notre maison, nous avons une vieille chaudière à gaz dont la lampe-pilote est constamment allumée. La chaudière, elle, ne fournit pas tout le temps de la chaleur et de l'énergie. Eh bien, certains d'entre nous n'ont que cette lampe-pilote du Saint-Esprit. Etre rempli de l'Esprit, c'est faire fonctionner tous nos cylindres (pardonnez-moi ce mélange de métaphores!). La différence entre ces deux catégories de personnes est visible, palpable.

Le tome I de l'histoire de l'Eglise porte le nom qu'on a donné au livre des Actes. Nous y lisons que plusieurs personnes ont expérimenté la réalité du Saint-Esprit. Dans l'idéal, tous les chrétiens devraient être remplis du Saint-Esprit à partir du moment de leur conversion. Pour certains d'entre eux, c'est le cas (il existe des cas semblables dans le NT et aujourd'hui), mais ce n'est pas la règle - même dans le Nouveau Testament. Nous avons déjà vu la première onction du Saint-Esprit à la Pentecôte dans *Actes 2*. En avançant dans ce livre, nous en verrons d'autres exemples.

Lorsque Pierre et Jean prièrent pour que le Saint-Esprit vienne sur les Samaritains, Simon le magicien fut si impressionné qu'il offrit de l'argent pour pouvoir faire la même chose *(Actes 8:14-18)*. Pierre le reprit en lui disant que c'est une chose très grave de vouloir acheter avec de l'argent le don de Dieu. Le récit montre bien qu'un miracle venait de se produire.

Au chapitre 9 du livre des Actes, nous sommes témoins de l'une des conversions les plus remarquables de tous les temps. Lorsqu'Etienne, le premier martyr, fut lapidé, Saül approuva sa mort *(Actes 8:1)* et après cela, il commença à détruire l'Eglise. Pénétrant dans les maisons, il emprisonnait hommes et femmes *(v. 3)*. Et au début du chapitre 9, nous lisons que Saul *"respirait encore la menace et le meurtre contre les disciples du Seigneur."*

Mais en l'espace de quelques jours, voilà Saul qui prêche dans les synagogues que *"Jésus est le Fils de Dieu"(v. 20)*. C'est la surprise générale, tout le monde se demandant: *"N'est-ce pas celui qui persécutait à Jérusalem ceux qui invoquent ce nom [Jésus]?"*

Que s'était-il passé de si extraordinaire pour qu'il change ainsi radicalement? La première chose est qu'il avait rencontré Jésus sur la route de Damas. La deuxième est qu'il fut rempli de l'Esprit *(v. 17)*. A ce moment, *"il tomba de ses yeux comme des écailles, et il recouvra la vue".* *(v. 18)* Il arrive que des non-chrétiens ou des gens franchement anti-chrétiens expérimentent comme cela un revirement complet lorsqu'ils rencontrent le Christ et qu'ils sont remplis de l'Esprit. Ils deviennent ainsi de puissants défenseurs de la foi chrétienne.

A Ephèse, Paul rencontra un groupe de personnes qui "croyaient", mais qui n'avaient jamais entendu parler du Saint-Esprit. Il leur imposa les mains, le Saint-Esprit vint sur eux et ils se mirent à parler en langues et à prophétiser *(Actes 19:1-7)*. Certains sont aujourd'hui encore dans la même situation. Nouveaux ou "vieux" croyants, baptisés, confirmés, pratiquants d'un jour ou de tous les jours, ils ne savent cependant rien ou presque sur le Saint-Esprit.

Le début du livre des Actes rapporte un autre incident sur lequel je voudrais m'attarder quelque peu. Il s'agit de la première occasion où des païens ont été remplis de l'Esprit. Dieu a fait une chose extraordinaire à partir d'une vision donnée à un homme nommé Corneille (préparé par cette première vision). Dieu a également parlé à Pierre par une vision en lui disant d'aller et de parler aux païens à la maison de ce Corneille. Et pendant que Pierre parlait, un événement extraordinaire se produit: *"Le Saint-Esprit descendit sur tous ceux qui écoutaient la parole. Tous les fidèles circoncis qui étaient venus avec Pierre furent étonnés de ce que le don du Saint-*

Esprit était aussi répandu sur les païens. Car ils les entendaient parler en langues et glorifier Dieu"(Actes 10:44-46). Examinons, jusqu'à la fin du chapitre, trois aspects de cet événement extraordinaire.

Ils ont expérimenté la puissance du Saint-Esprit

Au vu de ce qui se passait, Pierre a été obligé d'arrêter son discours. Quoique l'expérience soit différente pour chaque personne, on est rarement rempli de l'Esprit de manière imperceptible. Pour décrire l'événement du Jour de la Pentecôte *(Actes 2),* Luc utilise le langage d'une pluie tropicale torrentielle. C'est une image de la puissance de l'Esprit qui inonde leur être. Il y eut des manifestations physiques: ils entendirent comme un vent violent *(v. 2).* C'était la puissance invisible du *ruah* de Dieu, qui est, nous l'avons vu, le même mot mis pour vent, souffle et esprit dans l'Ancien Testament. Il arrive que, quand l'Esprit remplit des gens, ceux-ci tremblent comme une feuille agitée par le vent. D'autres respirent profondément comme s'ils inspiraient physiquement le Saint-Esprit.

A la Pentecôte, les disciples ont également vu quelque chose qui ressemblait à du feu *(v. 3).* De la chaleur physique accompagne parfois l'action du Saint-Esprit et les gens la ressentent dans les mains ou dans une autre partie du corps. Une personne parlera d' *"incandescence générale";* *"de la chaleur liquide",* dit une autre; une troisième décrira *"une chaleur brûlante dans les bras, alors que je n'avais pas chaud".* Le feu symboliserait-t-il la passion, la pureté, la puissance que le Saint-Esprit met en nous? Peut-être.

Pour d'autres, l'expérience de l'Esprit sera une expérience bouleversante de l'amour de Dieu. Paul prie pour que les chrétiens d'Ephèse puissent *"comprendre avec tous les saints quelle est la largeur, la longueur, la profondeur et la hauteur, et connaître l'amour de Christ"(Ephésiens 3:18).* L'amour de Christ est assez large pour atteindre chaque personne dans le monde: il atteint sur tous les continents les hommes de toute race, de toute couleur, de toute tribu quel que soit leur arrière-plan; l'amour de Christ est assez long pour accompagner l'homme pendant toute sa vie jusque dans l'éternité; il est assez profond pour nous atteindre là où nous sommes tombés, aussi bas que cela soit; et il est assez haut pour nous élever jusqu'aux lieux célestes. Cet amour s'est manifesté de manière suprême à la croix de Christ. Nous connaissons l'amour de Christ en ce qu'il est volontairement mort pour nous. Paul a prié pour que nous *"comprenions"* l'étendue de cet amour.

Mais il ne s'arrête pas là. Il prie pour que nous *"connaissions cet amour qui surpasse toute connaissance"* de sorte que nous soyons *"remplis jusqu'à toute la plénitude de Dieu"(v. 19)*. Comprendre cet amour, c'est bien, dit-il; mais il nous faut expérimenter cet amour qui "surpasse toute connaissance". Il arrive souvent que des personnes remplies de l'Esprit - *"jusqu'à toute la plénitude de Dieu" (v. 19)* - expérimentent dans leur coeur cet amour de Christ qui transforme l'être humain.

Thomas Goodwin, un puritain qui vécut il y a 300 ans, a illustré cette expérience. Il a dessiné un homme marchant le long d'une route, donnant la main à son petit garçon. Ce petit garçon sait que cet homme, qui est son père, l'aime. Soudain, le père s'arrête, prend son enfant dans les bras, l'enserre, lui donne des baisers, l'étreint, puis le dépose à terre, et ils continuent la route ensemble. Ce que Thomas Goodwin a voulu dire est ceci: s'il est merveilleux de marcher en tenant la main de son père, il est encore bien plus merveilleux de le sentir qui vous entoure de ses bras.

"Il nous a embrassés", a dit Spurgeon et il déverse son amour sur nous et nous *"étreint"*. Martyn Lloyd-Jones cite ces exemples parmi d'autres dans son ouvrage sur l'épître aux Romains, et dit de l'expérience de l'Esprit:

> Prenons bien conscience de la profondeur de cette expérience. Elle n'est ni ordinaire ni superficielle, ni à prendre à la légère; on ne dit pas de cette expérience: "N'accorde pas d'importance à ce que tu ressens". Accorder de l'importance à nos émotions? La profondeur de ce que vous ressentirez est telle que pendant un instant, il se peut que vous penserez n'avoir jamais 'ressenti' quelque chose de semblable auparavant. L'expérience de l'Esprit est la plus profonde qu'un homme puisse jamais connaître.[46]

Les païens, spontanément, glorifiaient Dieu

La louange spontanée est le langage de ceux qui sont tout excités et emballés d'avoir expérimenté la réalité de Dieu. Elle doit inclure toute notre personnalité, même nos émotions. On m'a un jour demandé s'il était bon d'exprimer ses émotions dans l'église, s'il n'y avait pas là un danger d'émotivité.

Le danger pour la plupart d'entre nous dans notre relation avec Dieu n'est pas l'émotivité, mais bien le manque d'émotion. Il arrive que notre relation avec Dieu soit plutôt froide. Cependant, toute relation d'amour fait intervenir nos émotions. Bien sûr il doit y avoir plus que des émotions. Il faut qu'il y ait de l'amitié, de la communication, de la compréhension et du service. Mais si, par exemple, je ne manifestais jamais d'émotion envers mon épouse, il y aurait quelque chose qui manque dans mon amour. Si notre relation avec Dieu est sans émotion, notre personnalité n'est pas totalement impliquée. Ne sommes-nous pas appelés à aimer, louer, adorer Dieu de tout notre être?

Certains diront que les émotions ne sont légitimes qu'en privé. Après une conférence à Brighton, à laquelle assistait l'archevêque de Canterbury, le Times a consacré un article sur la place des émotions dans l'Eglise. Sous le titre *Les charismes de Carey* le *Times* écrivit:

Comment expliquer que si une comédie fait rire, on dise: *"le film est un succès"*; que si une tragédie fait pleurer, on dise: *"la pièce est émouvante"*; que si un match électrise les spectateurs, on dise: *"le jeu est passionnant"*; mais que si, pendant l'adoration, l'assemblée est touchée par la gloire de Dieu, on dise: *"ce public est émotif"*?

Bien sûr, il y a émotivité quand les émotions prennent le pas sur le solide fondement de la doctrine biblique. Mais comme l'a dit l'ancien évêque de Coventry, Cuthbert Bardsley: *"Le danger principal qui guette l'église anglicane n'est pas celui de l'émotivité délirante"*. Et on pourrait ajouter: *"Et ce n'est pas seulement vrai pour l'église anglicane"*. Le culte que nous rendons à Dieu doit impliquer toute notre personnalité: notre esprit, notre coeur, notre volonté et nos émotions.

Ils ont reçu une nouvelle langue

Comme au Jour de la Pentecôte: et de même que pour les chrétiens d'Ephèse *(Actes 19),* lorsque les païens furent remplis de l'Esprit, ils reçurent le don de parler en langues. Le mot mis pour "langues" est aussi employé pour "langage" et il signifie la capacité de parler une langue non apprise. Cela peut être la langue des anges *(I Corinthiens 13:1),* que l'on ne peut reconnaître, ou il peut s'agir d'une langue humaine identifiable (comme à la Pentecôte), ainsi que le montre la petite anecdote suivante. Un jour, une fille de notre assemblée, Penny, priait avec une amie. Soudain, comme elle ne parvenait plus à exprimer quelque chose en anglais, elle commença à prier en langue. L'autre fille leva alors les yeux, éclata de rire et lui dit: *"Tu viens de me parler en russe"*. Cette fille, quoiqu'anglaise, parlait couramment le russe. Penny demanda: *"Et qu'est-ce que j'ai dit?"* *"Tu as dit"*, lui répondit-elle: *"Ma chère enfant"* plusieurs fois de suite. Penny ne connaissait pas un seul mot de russe. Mais pour cette fille, ces trois mots revêtaient une grande importance. Elle était assurée que pour Dieu, elle importait beaucoup.

Le don des langues a apporté de grandes bénédictions à beaucoup de personnes. Ce don est, comme nous l'avons vu, un des dons de l'Esprit. Il n'est pas le seul, ni même le plus important. Les chrétiens ne parlent pas tous en langues et ce don n'est pas nécessairement un critère pour savoir si oui ou non on est rempli de l'Esprit. Il est possible d'être rempli de l'Esprit et de ne pas parler en langues. Néanmoins, pour beaucoup de personnes, dans le Nouveau Testament et dans l'expérience chrétienne, ce don accompagne l'expérience spirituelle et il est peut-être la première manifestation surnaturelle de l'Esprit. Aux yeux d'un tas de gens, ce don est une énigme. Voilà pourquoi j'y ai consacré plusieurs pages de ce chapitre. Dans *I Corinthiens 14*, Paul répond à plusieurs des questions qui reviennent le plus souvent.

Qu'est-ce que le parler en langues?

C'est une forme de prière. L'apôtre Paul dit: *"...en effet, celui qui parle en langues ne parle pas aux hommes, mais **à Dieu**" (I Corinthiens 14:2, gras rajouté).* Cette prière édifie celui qui la prononce *(v. 4).* De toute évidence, les dons qui édifient directement l'église sont bien plus importants; mais cela ne dévalorise pas le parler en langues. L'intérêt du parler en langues réside dans le fait qu'il dépasse les limites du langage humain. C'est ce que semble dire Paul dans *I Corinthiens 14:14*: *"Car si je prie en langues, mon esprit est en prière, mais mon intelligence demeure stérile."*

Cette limite du langage humain touche tout le monde, à différents niveaux. Il paraît que l'anglophone moyen connaît 5 000 mots. Winston Churchill, lui, en connaissait 15 000. Malgré cela, il était tout de même "limité". Quand l'esprit ressent une chose que les mots ne peuvent exprimer, il est frustré. Cela est vrai dans les relations humaines, mais aussi dans notre relation avec Dieu.

Le don des langues est ici bien utile. Il nous permet de dire à Dieu ce que nous ressentons vraiment dans notre esprit, sans devoir passer par la traduction dans notre langue maternelle. La raison pour laquelle Paul dit: *"Mon intelligence demeure stérile"* est donc simplement parce qu'il n'y a pas d'effort intellectuel de traduction; "intelligence stérile" ne signifiant pas débilité.

Le don des langues peut nous être utile

Je cite trois domaines dans lesquels ce don peut nous aider.

Le premier est celui de la louange et de l'adoration où notre langage est particulièrement limité. Prenez comme exemple les lettres de remerciements: enfants et adultes tombent vite à court de mots et les "merveilleux", "sympathique" et "formidable" reviennent étonnamment souvent. Il est frappant de voir combien le langage est limité quand on loue ou qu'on adore Dieu.

Remplis de l'Esprit, nous désirons ardemment exprimer notre amour, notre adoration et notre louange à Dieu. Le don des langues nous rend capables de franchir l'obstacle de la limitation du langage humain. Le deuxième domaine concerne les moments où nous prions sous la pression de quelque événement. Savoir la manière dont nous devons prier s'avère parfois difficile. Tristesse, angoisse, etc... peuvent nous peser à tel point que nous ne savons plus comment prier. Il y a quelques temps, je priais pour un homme de vingt-six ans dont l'épouse venait d'être emportée par un cancer, après seulement un an de mariage. Il demanda à recevoir le don des langues et, le recevant à l'instant même, se déchargea de tout ce qu'il avait refoulé dans sa vie. Après coup, il me parla de ce soulagement qu'il avait eu de pouvoir se libérer de tout ce poids.

Je puis personnellement témoigner de la même chose. En 1987, au milieu d'une réunion de notre église, je reçus un message qui me disait que ma mère venait d'avoir une crise cardiaque et qu'elle était à l'hôpital. Sortant à toute vitesse, je m'engouffrai dans un taxi en direction de l'hôpital. Jamais je n'avais été aussi reconnaissant pour le don des langues. Prier, j'en avais désespérément besoin, mais je me sentais tellement sous le choc que je n'arrivais pas à formuler une seule phrase en anglais. Le don des langues me permit cependant de prier jusqu'à l'hôpital, déposant ainsi cette situation de crise aux pieds du Seigneur.

Le troisième domaine est celui de l'intercession. La prière d'intercession n'est pas une chose facile, surtout si la personne vous est relativement inconnue. Finalement, *"Seigneur, bénis-les"* risque d'être la plus élaborée des prières. Ici, prier en langues peut se révéler très utile. Mais il arrive souvent que Dieu nous donne aussi les mots qu'il faut pour prier dans notre langue maternelle.

Vouloir prier en langues n'est pas faire preuve d'égoïsme. Bien que *"celui qui parle en langues s'édifie lui-même" (I Corinthiens 14:4)*, il n'en reste pas moins que les effets indirects peuvent être très importants. Jackie Pullinger décrit la transformation qui s'est opérée dans son ministère quand elle commença à utiliser ce don:

Montre en main, je priais 15 minutes dans la langue de l'Esprit sans pour autant ressentir quoi que ce soit, en demandant à l'Esprit de m'aider à intercéder pour ceux que lui, désirait atteindre. Après quelque six semaines, des gens se convertissaient par mon ministère sans que j'eusse rien fait. Des membres de gangs tombaient à genoux en pleurant dans les rues, des femmes étaient guéries, des héroïnomanes étaient miraculeusement libérés. Je n'y étais pour rien, je le savais bien.

Le don des langues fut aussi le moyen par lequel elle reçut d'autres dons spirituels:

Avec des amis, je commençai à découvrir d'autres dons spirituels et nous vécûmes quelques remarquables années dans notre ministère. Un grand nombre de membres de gangs et de gens aisés, d'étudiants et d'hommes d'église se convertirent et tous reçurent un nouveau langage pour leur moments de prière privés et d'autres dons pour les moments de rencontre. Nous ouvrîmes plusieurs maisons pour héroïnomanes, et tous furent délivrés de leurs drogues, facilement, grâce à la puissance du Saint-Esprit.[47]

Paul approuve-t-il le parler en langues?

Le contexte du passage de *I Corinthiens 14* traite de l'usage public excessif du don des langues dans l'Eglise. Paul dit: *"**Dans l'Eglise**, j'aime mieux dire cinq paroles avec mon intelligence, afin d'instruire aussi les autres, que dix mille paroles en langues" (v. 19, gras rajouté).* Imaginez Paul arrivant à Corinthe et donnant un sermon en langues! A quoi cela rimerait-t-il? Son public n'y aurait rien compris à moins d'avoir un interprète. Il donne ainsi des lignes de conduite pour l'usage public du don des langues *(v. 27).*

Néanmoins, Paul dit bien que le parler en langues ne doit pas être interdit *(v. 39).* En ce qui concerne l'usage privé de ce don (quand nous parlons à Dieu), Paul l'encourage fortement. Il dit: *"Je désire que vous parliez tous en langues" (v. 5)* et *"Je rends grâce à Dieu de ce que je parle en langues plus que vous tous" (v. 18).* Cela ne signifie pas que chaque chrétien doive absolument parler en langue, sous peine d'être un chrétien de seconde classe. Il n'existe pas de chrétiens de première et de seconde classe. Cela ne signifie pas non plus que Dieu nous aime moins si nous ne parlons pas en langue. Mais il faut savoir que le don des langues est une bénédiction de Dieu.

Comment recevoir le don des langues?

Si quelqu'un dit: *"Je ne veux pas du don des langues",* Dieu ne le forcera jamais. Les langues sont simplement l'un des merveilleux dons de l'Esprit, et ce n'est pas du tout le seul, comme nous l'avons vu dans le précédent chapitre. Comme tout autre don, il doit se recevoir par la foi.

Si tous les chrétiens ne parlent pas en langues, Paul dit quand même: *"Je désire que vous parliez tous en langues".* Nous voyons donc que ce don n'est pas exclusif: celui qui le désire le recevra. Paul ne dit pas que le parler en langues est le but suprême de la vie chrétienne, il dit seulement que c'est un don très précieux.

Comme pour tous les dons de Dieu, il nous faut coopérer avec l'Esprit. Dieu ne vous impose pas ses dons. Au début de ma vie chrétienne, je me rappelle avoir lu quelque part que les dons spirituels n'avaient été donnés que pendant la période des apôtres (le premier siècle). Ils n'étaient donc plus pour aujourd'hui. Quand j'entendis parler du don des langues, je voulus confirmer son caractère obsolète en priant pour recevoir le don tout en gardant la bouche bien fermée! Comme je ne me suis pas mis à parler en langues, je conclus donc, comme je l'avais pensé, que les dons n'existaient plus.

Un jour, cependant, deux de mes amis, qui venaient d'être remplis du Saint-Esprit et qui avaient reçu le don des langues, vinrent me voir. Je leur dis fermement que les dons de l'Esprit n'existaient plus de nos jours. Le hic, c'est que je pouvais voir la différence que ces dons avaient opérés chez eux: ils rayonnaient (et ils rayonnent toujours, d'ailleurs). Je demandai à ceux qui avaient prié pour eux de prier pour moi également, pour que je sois rempli du Saint-Esprit et que je parle en langues. Ils m'expliquèrent que si je voulais recevoir le don des langues, il fallait que je coopère avec l'Esprit de Dieu, que j'ouvre ma bouche et que je parle dans une autre langue que la mienne ou de toute autre que je connaissais déjà. Et en le faisant, je reçus le don des langues.

Qu'est-ce qui empêche généralement que l'on soit rempli de l'Esprit?

Jésus parla un jour à ses disciples de la prière et du Saint-Esprit *(Luc 11:9-13)*. Et à cette occasion, il aborda certaines difficultés qui surgissent quand il s'agit de recevoir quelque chose de la part de Dieu.

Le doute

Le doute principal se situe autour de la question: *"Si je demande, suis-je certain de recevoir?"*

Jésus dit simplement: *"Je vous le dis: Demandez et vous recevrez."*

Constatant le scepticisme de ses auditeurs, Jésus le leur répéta en d'autres termes: *"Cherchez et vous trouverez."*

Et il le dit une troisième fois encore: *"Frappez et l'on vous ouvrira."*

Connaissant la nature humaine, il le répéta une quatrième fois: *"Car quiconque demande, reçoit."*

Ses auditeurs n'étant toujours pas convaincus, il le leur dit une cinquième fois: *"Celui qui cherche, trouve."*

Et une sixième fois: *"On ouvre à celui qui frappe."*

Pourquoi six fois? Parce que Jésus sait de quoi nous sommes faits. Nous éprouvons beaucoup de difficulté à croire que Dieu nous donnera quelque chose, surtout quand il s'agit de son extraordinaire et merveilleux Saint-Esprit, sans parler de ses dons.

La crainte

Même si nous avons passé le cap du doute, la crainte arrête certains d'entre nous. La crainte concerne ce que nous allons recevoir. Est-ce que ce sera bon?

Pour dissiper notre crainte, Jésus répond par l'analogie d'un père humain. Si un enfant demande un poisson, aucun bon père ne lui donnera un serpent. Si un enfant demande un oeuf, aucun père ne lui donnera un scorpion *(Luc 11:11-12)*. Il est impensable que nous traitions nos propres enfants comme cela, n'est-ce pas? Pourtant, Jésus dit que, comparés à Dieu, nous sommes méchants! S'il est certain que jamais nous ne traiterions nos enfants comme cela, il est inconcevable que Dieu le fasse. Dieu ne nous laissera pas tomber. Si nous demandons le Saint-Esprit et ses merveilleux dons, nous n'en recevrons pas moins (Luc 11:13).

L'incompétence

Il est bien sûr important que tout péché soit confessé et pardonné, et que nous ayons tourné le dos à tout ce que nous savons être mauvais. Même après cela, cependant, nous pouvons avoir encore un vague sentiment d'indignité, d'imperfection. Nous n'arrivons pas à croire que Dieu veuille nous donner quelque chose. Nous croyons volontiers qu'il donne ses dons aux chrétiens expérimentés, mais pas à nous. Mais Jésus n'a pas dit: *"à combien plus forte raison le Père céleste donnera-t-il le Saint-Esprit à tout chrétien expérimenté"*. Non, il a dit: *"à combien plus forte raison le Père céleste donnera-t-il le Saint-Esprit **à ceux qui le lui demandent"** (Luc 11:13, gras rajouté).*

Si vous désirez être rempli de l'Esprit, il serait bien que vous trouviez un autre chrétien qui priera pour vous. Si personne n'est susceptible de prier pour vous en ce sens, rien ne vous empêche de prier pour vous-même.

On peut aussi très bien être rempli de l'Esprit sans recevoir le don des langues, les deux ne vont pas obligatoirement ensemble. Dans le Nouveau Testament, cependant, les deux vont souvent de pair; l'expérience personnelle l'enseigne aussi.

Vous pouvez très bien prier pour recevoir les deux.

Si vous priez seul,

1. Demandez à Dieu de pardonner tout ce qui pourrait vous empêcher de recevoir ses dons;

2. Détournez-vous de tout ce que vous savez être mauvais;

3. Demandez à Dieu de vous remplir du Saint-Esprit et de vous accorder le don des langues. Cherchez Dieu jusqu'à ce que vous le trouviez, frappez jusqu'à ce que la porte s'ouvre, cherchez Dieu de tout votre coeur;

4. Ouvrez la bouche pour louer Dieu dans une autre langue que votre langue maternelle ou toute autre langue que vous connaissez;

5. Croyez que ce que vous recevez vient de Dieu. Ne croyez personne qui vous dirait que vous avez tout inventé (c'est d'ailleurs très peu probable);

6. Persévérez. Les langues prennent du temps pour se développer. La plupart d'entre nous commencent avec un vocabulaire limité. Il se développera progressivement. Avec les langues, c'est comme cela. Votre don mettra du temps pour se développer, mais n'abandonnez pas.

On n'est pas rempli du Saint-Esprit une fois pour toutes. Les chapitres 2-4 du livre des Actes nous montrent un Pierre qui fut rempli du Saint-Esprit à trois reprises *(Actes 2:4; 4.8,31)*. Quand Paul dit: *"Soyez remplis de l'Esprit" (Ephésiens 5:18),* il utilise le temps présent, ce qui signifie qu'il nous faut être continuellement remplis de l'Esprit.

11
COMMENT RÉSISTER AU MAL?

ENTRE DIEU ET CE QUI EST BON, AINSI QU'ENTRE LE DIABLE ET CE QUI EST mauvais, la relation est étroite. En effet, la puissance qui sous-tend le bon est la Bonté même. Et directement ou indirectement, derrière nos propres désirs mauvais ou les tentations du monde se trouve le mal personnifié: le diable.

L'existence du mal est telle que certains trouvent plus facile de croire au diable plutôt qu'en Dieu. *"En ce qui concerne Dieu, je suis non croyant... mais en ce qui concerne le diable, là, c'est différent... le diable n'arrête pas de faire de la pub pour lui... beaucoup"* affirme William Peter Blatty, l'auteur et le producteur du film *L'exorciste*. [48]

D'un autre côté, beaucoup d'occidentaux qui croient en Dieu ont beaucoup de peine à croire en l'existence du diable. Ce phénomène peut s'expliquer notamment par la fausse image que les gens ont du diable. Si celle d'un vieil homme à la barbe blanche assis sur un nuage est absurde et incroyable, celle d'un diable à corne faisant les cent pas dans l'Enfer de Dante l'est aussi. Il ne s'agit pas ici d'une créature extraterrestre, mais bien d'une force maléfique douée de raison, active dans le monde d'aujourd'hui.

Une fois que l'on croit en l'existence d'un Dieu transcendant, il est en quelque sorte logique de croire en un diable.

La croyance en une grande puissance transcendante du mal n'est pas plus irréaliste que la croyance en une grande puissance transcendante du bien. Toutes deux tranquillisent même l'esprit. Car si Satan n'existait pas, comment éviter de conclure que Dieu est un monstre de cruauté, d'un côté par ce qu'il fait dans la nature et, d'un autre côté, par ce qu'il laisse faire, dans la méchanceté humaine? [49]

D'après la perspective biblique, derrière le mal dans le monde se cache le diable. Le mot grec pour "diable", diabolos, traduit le mot hébreu satan. La Bible ne nous dit pas grand-chose sur les origines de Satan. *Esaïe 14:12-23* semble indiquer qu'il est un ange déchu. Les livres de l'Ancien Testament n'en parlent qu'en de rares occasions *(Job 1:1; I Chroniques 21:1)*. Ce n'est pas une simple force, c'est un être doué de raison.

Mais le Nouveau Testament nous donne davantage de précisions sur ses activités. Nous savons ainsi que le diable est un être spirituel raisonnable, en rébellion active contre Dieu et qui dirige un grand nombre de démons semblables à lui. Paul nous dit de *"tenir ferme contre les ruses du diable. Car nous n'avons pas à lutter contre la chair et le sang, mais contre les dominations,... contre les esprits méchants dans les lieux célestes."(Ephésiens 6:11-12)*

D'après Paul, le diable et ses anges ne doivent pas être sous-estimés. Ils sont rusés (*"les ruses du diable"*, v. 11). Ils sont puissants (*"dominations"*, *"autorités"*, v. 12). Ils sont mauvais (*"les esprits méchants"*, v. 12). Ne soyons donc pas surpris quand nous subissons un assaut terrible de la part de l'ennemi.

Pourquoi faut-il croire au diable?

Oui, pourquoi? On entend bien certaines personnes dire: *"La croyance au diable est aujourd'hui dépassée"*. Mais il existe cependant de très bonnes raisons pour y croire.

La première raison est qu'il en est question dans la Bible. Je ne dis pas ici que la Bible ne parle que de lui. Nous l'avons vu, l'Ancien Testament ne le mentionne pas souvent; c'est seulement le Nouveau Testament qui développe ce point particulier de la doctrine chrétienne. Jésus croyait de toute évidence en l'existence de Satan et a été tenté par lui. Jésus a souvent chassé des démons, libérant ainsi des hommes et des femmes des puissances du mal et du péché; et il a donné à ses disciples l'autorité nécessaire pour faire la même chose. Le Nouveau Testament se réfère très souvent à l'oeuvre du diable *(I Pierre 5:8-11; Ephésiens 6:1-12)*.[50]

La deuxième raison, c'est qu'il s'agit d'une croyance chrétienne persistante. Les premiers théologiens, les Réformateurs, de grands évangélistes comme Wesley et Whitefield, et la grande, la très grande majorité des hommes et des femmes de Dieu, savaient que nous étions entourés de puissances maléfiques spirituelles bien réelles. Dès que nous commençons à servir le Seigneur, il se met à s'intéresser à nous de façon plus active. "Le diable ne tente que les âmes qui veulent abandonner le péché... les autres lui appartiennent, il lui est inutile de les tenter".[50]

Une troisième raison d'y croire ne nous est-elle pas simplement donnée par le bon sens? Les tenants d'une théologie qui nie l'existence d'un diable doué de raison ont fort à faire pour expliquer le pourquoi des régimes mauvais, de la violence et de la torture institutionnalisées, des meurtres en série, des viols brutaux; sans le diable, y a-t-il seulement une explication au trafic de drogues à grande échelle, aux attentats terroristes, aux abus physiques et sexuels d'enfants, à l'activité occulte et aux rituels sataniques? Qui est derrière tout ça? Il existe une chansonnette anglaise qui dit à peu près ceci:

On dit le diable fut,

Aujourd'hui, il n'est plus;

Mais tous, vous comme moi,

Sans réponse, en émoi,

Voulons bien savoir qui,

Du mal le but poursuit.

Ainsi, les Ecritures, la tradition et la raison s'accordent à reconnaître que le diable existe. Encore une fois, cela ne signifie pas que nous devions en devenir obsédés. Comme C.S. Lewis le dit très bien: *"A propos des démons, les hommes peuvent tomber dans deux erreurs opposées de même importance. La première est de nier leur existence; la seconde, de s'y intéresser d'une manière malsaine et excessive. Les démons se repaissent de ces deux erreurs et se réjouissent de la même façon à voir un matérialiste ou un magicien".*[51]

Donnons ici la parole à Michael Green:

Comme tout général d'armée capable de faire en sorte qu'on le sous-estime, Satan... doit être enchanté de la situation actuelle, qui le laisse libre de ses mouvements, convaincu que personne ne le prendra au sérieux. Tout ce qu'il peut faire pour encourager ce doute sur son existence est bienvenu. Plus il aveugle l'intelligence des gens concernant la vérité, plus ses objectifs sont atteints.[52]

Ils sont fort nombreux, les hommes et les femmes qui s'y intéressent d'une manière malsaine et excessive. Ce nouvel intérêt pour le spiritualisme, la chiromancie, les jeux occultes, le channelling (consultation des morts), l'astrologie, les horoscopes, la magie et les puissances occultes représente un réel danger. Les Ecritures interdisent toute participation à ces pratiques *(Deutéronome 18:10; Lévitique 20:6,27; Galates 5:19; Apocalypse 21:8; 22:15).* Dieu pardonne à ceux qui se sont adonnés à ces choses-là. Mais il faut se repentir et détruire tout ce qui touche à ces activités: livres, vidéos, porte-bonheur et magazines *(Actes 19:19)*.

Même les chrétiens peuvent parfois s'intéresser au diable de manière malsaine. Un nouveau converti me montrait récemment des livres chrétiens qui se concentraient exclusivement sur l'oeuvre de l'Ennemi: une grande partie des livres était consacrée à savoir ce que cachait le chiffre de la bête mentionné dans l'Apocalypse; on y lisait que les cartes de crédit en étaient peut-être déjà un avant-goût! Je suis certain que l'intention des auteurs est bonne, mais focaliser ainsi l'intérêt du lecteur sur l'oeuvre de l'Ennemi me semble malsain. On ne trouve pas ce genre de focalisation dans la Bible. Le centre d'intérêt y est toujours Dieu.

Quelles sont les tactiques du diable?

Le but ultime de Satan est la destruction de chaque être humain *(Jean 10:10)*. Il veut que nous suivions un chemin qui nous y conduit. Dans ce but, il tente d'empêcher chacun de nous de parvenir à la foi en Jésus-Christ. Voici ce que Paul nous dit: *"Le dieu de ce siècle [le diable] a aveuglé les intelligences [des incrédules], afin qu'ils ne voient pas briller la splendeur de l'évangile de la gloire de Christ, qui est l'image de Dieu" (II Corinthiens 4:4)*.

Tant que nous marchons sur le chemin du diable les yeux aveuglés, nous ne nous rendons pas compte de ses tactiques. Mais une fois que nous marchons sur le sentier qui mène à la vie et que nos yeux sont ouverts sur la vérité, nous devenons conscients d'être l'objet d'attaques de la part du diable.

Sa première attaque consiste généralement à semer le doute. Nous voyons cela dans les premiers chapitres de la Genèse où l'ennemi, sous la forme d'un serpent, dit à Eve: *"Dieu a-t-il réellement dit...?"* Il sème ainsi le doute dans son esprit.

L'épisode de la tentation de Jésus illustre la même tactique. Le diable vient vers lui et lui dit: *"**Si** tu es le Fils de Dieu.."* *(Matthieu 4.3, gras rajouté)*. Le "si", c'est le doute; ensuite viennent les tentations. Ses tactiques n'ont pas changé. Toujours, il sème le doute dans nos esprits: *"Dieu a-t-il réellement dit que telle ou telle manière d'agir est mauvaise?"* ou alors: *"Si tu es vraiment chrétien.."*. Le diable cherche à miner notre confiance dans les paroles de Dieu et il veut que nous doutions de notre relation avec lui. Nous devons reconnaître le diable dans l'origine de beaucoup de nos doutes.

Mais semer le doute n'était que le début. Eve dans le jardin et Jésus dans le désert ont dû ensuite subir l'attaque principale. Dans Genèse chapitre 3 nous avons un exposé de la manière dont Satan, le "tentateur", travaille si souvent *(Matthieu 4:2)*.

Dans *Genèse 2:16-17*, Dieu accorde à Adam et Eve une grande liberté d'action *("Tu pourras manger de tous les arbres du jardin")*, et il leur impose une interdiction *("Tu ne mangeras pas de l'arbre de la connaissance du bien et du mal")*, tout en les avertissant de la punition s'ils désobéissent *("Car le jour où tu en mangeras, tu mourras certainement")*.

Que fait Satan? Il passe outre la liberté d'action et se concentre sur la seule interdiction, qu'il exagère même *(Genèse 3:1)*. Aujourd'hui, ses tactiques n'ont pas changé, il passe toujours outre nos nombreuses libertés. Il ne dit rien du fait que Dieu nous a richement donné toutes choses pour que nous en jouissions *(I Timothée 6:17)*. Il ne parle pas de cette grande bénédiction qu'est la marche avec Dieu. Mentionne-t-il parfois les richesses que représentent les familles et les mariages chrétiens, la sécurité d'un foyer, l'amitié entre les chrétiens, et des grandes bénédictions dont ceux qui aiment et qui connaissent Dieu jouissent? Non, il n'en parle jamais. Au contraire, il se concentre sur les interdictions pour les chrétiens, répétant à qui mieux mieux que non, il ne faut pas s'enivrer, il ne faut pas jurer et qu'on ne peut pas avoir des relations sexuelles avec qui l'on veut. Les interdictions de Dieu sont bien fondées, et en réalité, il y a peu de choses que Dieu ne nous permet pas.

Sa dernière attaque consiste à nier la punition. Le diable dit: *"Vous ne mourrez pas du tout" (Genèse 3:4)*. Il dit clairement que le fait de désobéir à Dieu ne nous fera aucun tort. Il nous suggère que Dieu est un trouble-fête, qu'il ne veut pas le meilleur pour nos vies et que nous passons à côté des meilleures choses si nous obéissons à Dieu. L'inverse est vrai, comme ont pu le découvrir Adam et Eve. C'est notre désobéissance qui fait que nous passons à côté des meilleures choses et de ce que Dieu avait en vue pour nous.

Dans les versets qui suivent, nous lisons les conséquences de la désobéissance à Dieu. Adam et Eve sont tout d'abord honteux et embarrassés; ils savent qu'ils sont nus et cherchent à se couvrir *(v. 7)*. A quelle vitesse courrions-nous s'il nous fallait fuir un écran sur lequel s'étendrait à la vue de tous toutes nos mauvaises actions et toutes les pensées qui ont jamais traversé notre tête? Nous sommes tous profondément honteux et embarrassés par notre péché. Nous voulons nous cacher des autres. Un jour, Sir Arthur Conan Doyle a joué un bon tour à douze personnes. Il s'agissait de personnes bien en vue, extérieurement irréprochables et respectées, bref, des piliers de l'Establishment. A chacune d'entre elles, il a envoyé un télégramme qui disait: *"Fuyez! Tout est découvert"*. En vingt-quatre heures, elles avaient toutes quitté le pays! Nous avons tous quelque chose dans nos vies dont nous avons honte; quelque chose que nous ne désirons pas que les autres sachent. Et souvent nous élevons des barrières autour de nous pour éviter d'être découvert.

La conséquence de tout ceci est que la relation d'Adam et Eve avec Dieu fut brisée. Lorsqu'ils entendirent que Dieu arrivait, ils se cachèrent *(v. 8)*. Ne se passe-t-il pas la même chose aujourd'hui? Beaucoup de gens ont peur de Dieu. Ils ne veulent même pas envisager la possibilité de son existence. Adam aussi a eu peur *(v. 10)*. Saviez-vous que certaines personnes ont peur à l'idée d'aller à l'église ou de se mêler à des chrétiens? Un couple de notre assemblée nous raconta un jour une petite anecdote concernant un joueur de rugby australien qu'ils avaient invité à l'église. Tout se passa bien jusqu'à ce que la voiture s'engage dans l'allée menant à l'église. Leur hôte commença alors à trembler, disant: *"Je ne peux pas. J'ai trop peur d'entrer dans l'église"*. Il n'osait pas regarder Dieu en face. Il y avait une séparation entre lui et Dieu; tout comme Adam et Eve. Son appel: *"Où es-tu?" (v. 9),* montre que Dieu voulut immédiatement restaurer la relation. Et cet appel, il le lance encore aujourd'hui.

Une autre conséquence de leur désobéissance est qu'il y eut une séparation entre Adam et Eve. Adam blâma Eve. Eve blâma le diable. Mais les vrais responsables du péché, c'était eux; et c'est nous-mêmes. Nous ne pouvons blâmer les autres, ni même le diable *(Jacques 1:13-15)*. Notre société n'est-elle pas le miroir de cette situation? Se détournant de Dieu, les hommes se tournent les uns contre les autres. Partout où nous regardons, nous voyons des mariages brisés, des foyers brisés, des relations de travail brisées, des guerres civiles ou internationales.

Finalement, nous constatons dans le châtiment sur Adam et Eve *(à partir du v.14)* qu'ils ont été trompés par Satan. Nous voyons que cette tromperie satanique a détourné Adam et Eve de Dieu vers un sentier qui les mène, comme Satan le savait dès le début, à la destruction.

Satan nous apparaît comme celui qui trompe, qui détruit, qui tente, qui sème le doute. Il est aussi appelé l'accusateur. Le mot hébreu pour Satan signifie "accusateur", "calomniateur". Il accuse Dieu devant les gens. C'est Dieu qui devient le grand coupable. Dieu, dit-il, n'est pas digne de notre confiance. Il accuse aussi les chrétiens devant Dieu *(Apocalypse 12 :10),* il nie la puissance purificatrice de la mort de Jésus. Il nous condamne et nous communique des sentiments de culpabilité - pas pour un péché particulier, mais c'est un sentiment vague et pourtant bien présent de culpabilité. En revanche, lorsque le Saint-Esprit attire l'attention sur un péché, il l'identifie clairement de manière que l'on puisse s'en détourner.

Etre tenté ne signifie pas pécher. Il arrive que le diable mette dans notre esprit une pensée coupable. A ce moment, nous avons le choix soit de l'accepter, soit de la rejeter. Si nous l'acceptons, nous sommes près du péché. Si nous la rejetons, nous sommes semblables à Jésus: *"Il a été tenté comme nous en toutes choses, sans commettre de péché" (Hébreux 4:15)*. Lorsque Satan mettait de mauvaises pensées dans son esprit, Jésus les rejetait. Mais pour nous, avant même que nous décidions de notre réaction, Satan nous accuse déjà. En une fraction de seconde, nous l'entendons qui dit: *"Regarde-moi ça! Et tu te prends pour un chrétien? Non, mais tu as vu ce que tu es en train de penser? Un chrétien ne pense pas à ça"*. Il veut que nous disions *"Oui, c'est vrai, je ne suis pas à la hauteur"*, ou *"Zut, encore cette pensée. Je suis encore tombé, alors peu importe si je continue.."*. Si nous pensons ainsi, nous sommes sur la pente glissante, et c'est ce qu'il recherche. Ses tactiques sont la condamnation et l'accusation. S'il arrive à provoquer un sentiment de culpabilité en nous, il sait que notre pensée sera: *"Quelle différence si j'agis maintenant selon ma pensée, puisque j'ai déjà péché"*. Dans ce cas, la tentation devient péché.

Satan veut que l'échec soit la norme de nos vies. Il sait que plus nous tombons dans le péché, plus le péché contrôlera nos vies. Une première injection d'héroïne ne provoque pas de dépendance. Mais si on s'en injecte jour après jour, mois après mois, année après année, on deviendra vite héroïnomane. L'héroïne est devenue notre maître. Si, régulièrement, nous faisons ce que nous savons être mauvais, ces choses finiront par avoir raison de nous. Nous en deviendrons esclaves et nous voilà sur le sentier que Satan a rêvé pour nous, celui qui conduit à la destruction *(Matthieu 7:13)*.

Où nous situons-nous?

En tant que chrétiens, nous croyons que Dieu *"nous a délivrés de la puissance des ténèbres et nous a transportés dans le royaume de son Fils bien-aimé" (Colossiens 1:13)*. Avant notre conversion, Paul dit que nous étions sous la puissance des ténèbres. C'était Satan, notre maître et nous étions des esclaves du péché, de la mort et de la destruction. Voilà à quoi ressemble le royaume des ténèbres.

Mais Paul nous dit que nous avons été transportés du royaume des ténèbres au royaume de la lumière. A partir du moment où nous sommes à Christ, nous sommes transférés des ténèbres à la lumière; et au royaume de la lumière, c'est Jésus qui est le Roi. Là règnent la vie, le pardon, la liberté, la rédemption. Après ce transfert, nous appartenons à quelqu'un d'autre: à Jésus-Christ et à son royaume.

En 1992, le club italien Lazio a payé £ 5,5 millions pour que Paul Gascoigne soit transféré de Tottenham Hotspur au Lazio. Imaginez que Gazza, jouant pour Lazio, reçoive un jour un appel téléphonique de Terry Venables, son ancien gérant au Tottenham Hotspur, disant: *"Pourquoi n'étais-tu pas à l'entraînement ce matin?"* Il répondrait sans doute: *"Ce n'est plus pour vous que je travaille. J'ai été transféré. Je joue maintenant pour un autre club"*. (voilà ce qu'il répondrait, du moins en substance!)

Sans commune mesure avec ce transfert, nous avons été transférés du royaume des ténèbres, gouverné par Satan, au royaume de Dieu, gouverné par Jésus. Lorsque Satan nous demande d'accomplir son oeuvre, il nous faut répliquer: *"Je ne t'appartiens plus"*.

Satan est un adversaire conquis *(Luc 10:17-20)*. Sur la croix, Jésus a *"dépouillé les dominations et les autorités, et les a livrées publiquement en spectacle, en triomphant d'elles par la croix" (Colossiens 2:15)*. Satan et sa clique ont été défaits à la croix. Cela explique pourquoi Satan et ses démons tremblent de peur au nom de Jésus *(Actes 16:18)*. Ils ont été vaincus et ils le savent.

Jésus nous a libérés de la culpabilité, nous ne devons donc plus vivre sous la condamnation. Il nous a délivrés de tout esclavage. En vainquant les puissances du mal, Jésus nous a rendus libres. La peur de la mort n'est plus, car la mort est vaincue. Nous sommes potentiellement exempts de toute crainte. Toutes ces choses - culpabilité, esclavage, et crainte - appartiennent au royaume des ténèbres. Jésus nous a transférés dans un nouveau royaume.

La croix est donc synonyme de victoire sur Satan et ses larbins, et nous vivons maintenant à la saison des opérations de nettoyage (si je puis m'exprimer ainsi). Bien que l'ennemi ne soit pas encore détruit et qu'il soit toujours capable de faire des victimes, il est défait, vaincu, désarmé, démoralisé.

Voilà notre position en Christ. Il est vital que nous nous rendions compte de la position de force qui est la nôtre, grâce à la victoire de Jésus sur la croix.

Comment nous défendre?

Satan n'étant pas détruit, nous sommes toujours en guerre. Assurons nos défenses. Paul nous dit à cet égard: *"Revêtez-vous de toutes les armes de Dieu, afin de pouvoir tenir ferme contre les ruses du diable". (Ephésiens 6:11)* Il poursuit en mentionnant six pièces de l'armure qu'il nous faut revêtir. Vous entendez sans doute parfois dire: *"Le secret de la vie chrétienne, c'est.."*. Mais il n'y a pas un seul secret; nous avons besoin de toutes les armes de Dieu.

La première chose qu'il nous faut revêtir est *la ceinture de vérité (v. 14)*. Paul parle sans doute ici des fondements de la doctrine chrétienne et de la vérité. Cela signifie connaître toute la vérité chrétienne (ou le plus possible) pour l'intégrer à notre propre système de pensée. La méditation de la Bible, l'écoute de sermons et de conférences, la lecture de livres chrétiens sont ici indispensables; les cassettes audio consacrées à différents sujets peuvent aussi aider. Nous ferons ainsi peu à peu la distinction entre ce qui appartient à la vérité et ce qui n'est que mensonges de Satan, dont Jésus a dit qu'il est un *"menteur et le père du mensonge" (Jean 8:44)*.

Il nous faut en deuxième lieu revêtir *la cuirasse de la justice (v. 14)*. Il s'agit de la justice de Dieu, celle qui n'existe que par l'oeuvre de Jésus sur la croix. Cette justice nous permet de jouir d'une relation avec Dieu et de vivre une vie empreinte de justice. L'exhortation de Jacques est ici pertinente: *"Résistez au diable et il fuira loin de vous. Approchez-vous de Dieu, et il s'approchera de vous" (Jacques 4:7-8)*. Nous tombons tous de temps en temps. Il nous faut cependant nous relever rapidement en demandant pardon à Dieu pour notre faux pas (en étant le plus précis possible; voir *I Jean 1:9)*. Le Seigneur nous promet alors de restaurer notre relation avec lui.

Ensuite, enfilons *les chaussures de l'évangile de paix (v. 15)*. Pour moi, cela signifie qu'il nous faut toujours être prêts à parler de l'évangile de Jésus-Christ. Comme le dit souvent John Wimber: *"Il est difficile de ne rien faire et de bien se comporter"*. Je m'explique. Si nous recherchons constamment des occasions de partager la bonne nouvelle de l'évangile, notre défense contre l'ennemi est efficace. Une fois que nous déclarons notre foi chrétienne à notre famille, à notre travail, nous renforçons nos défenses. Mais l'étrange difficulté dont parle John Wimber est que comme nous savons que les autres nous regardent constamment pour voir si nous sommes en tout point fidèles à notre foi, il nous faut perpétuellement être sur nos gardes. Et cela nous stimule dans notre fidélité à Jésus-Christ.

Vient ensuite *le bouclier de la foi (v. 16)*. Avec lui, nous pourrons *"éteindre les traits enflammés du malin"*. La foi va à l'opposé du cynisme et du scepticisme qui dévastent tant de vies. Un des aspects de la foi a été défini de la manière suivante: *"s'approprier une promesse de Dieu et oser y croire"*. Satan lancera toutes ses flèches pour nous assaillir par le doute, mais avec le bouclier de la foi, nous lui résisterons.

En cinquième lieu, Paul nous dit de prendre *le casque du salut (v. 17)*. L'évêque Westcott, de Cambridge, a dit qu'il y avait trois temps dans l'oeuvre du salut. Nous avons été sauvés du châtiment du péché; nous sommes sauvés de la puissance du péché; nous serons sauvés de la présence du péché. Il nous faut saisir ces grands concepts dans notre esprit. Gardons-les bien précieusement pour pouvoir répondre au doute et aux accusations de l'ennemi.

Et pour finir, nous devons nous armer de *"l'épée de l'Esprit, qui est la parole de Dieu" (v. 17)*. Paul pense sans doute ici aux Ecritures. Jésus lui-même a utilisé les Ecritures quand Satan l'attaquait. Chaque fois, Jésus lui répliquait des citations de la parole de Dieu, qui ont finalement fait fuir Satan. Il est très utile d'apprendre des versets bibliques pour pouvoir les répliquer à l'ennemi et nous rappeler ainsi des promesses de Dieu.

Comment attaquons-nous?

Comme nous l'avons déjà vu, la croix a vaincu Satan et ses laquais. Nous en sommes maintenant aux opérations de nettoyage avant le retour de Jésus. N'ayons pas peur de Satan, nous qui sommes chrétiens. Lui, par contre, a beaucoup à craindre de nos activités.

Nous sommes appelés à prier. Nous participons à un combat spirituel: *"les armes avec lesquelles nous combattons ne sont pas charnelles; mais elles sont puissantes, par la vertu de Dieu, pour renverser des forteresses" (II Corinthiens 10:4)*. Pour Jésus, la prière avait la priorité. Elle doit l'être pour nous aussi. Un hymne le dit bien, *"Satan tremble quand il voit le plus faible des chrétiens à genoux"*.

Nous sommes également appelés à l'action. Jésus, une fois encore, nous montre l'exemple; chez lui, prière et action allaient de paire. Jésus proclamait le royaume de Dieu, guérissait les malades et chassait les démons. Et il envoya ensuite ses disciples faire la même chose. Nous verrons plus loin tout ce que cela signifie.

Il est capital de bien souligner la grandeur de Dieu et l'impuissance relative de l'ennemi. Nous ne croyons pas qu'il y ait deux puissances égales et opposées - Dieu et Satan. Tel n'est pas le point de vue biblique. Dieu est le créateur de l'univers et Satan est une petite partie de sa création - une petite partie déchue. Il est, de plus, un ennemi défait et sur le point d'être complètement balayé au moment du retour de Jésus *(Apocalypse 12:12)*.

Dans un passage de son livre *The Great Divorce*, C.S. Lewis peint un magnifique tableau où il parle de l'enfer, cet endroit où opèrent Satan et ses démons. Arrive au paradis un homme à qui son "enseignant" fait visiter les environs. Ce dernier se met alors à quatre pattes, cueille un brin d'herbe et à l'aide de l'extrémité du brin, il montre à l'homme une minuscule fissure dans le sol qui, dit-il, contient l'enfer.

"Vous voulez dire que l'Enfer - cette immense ville déserte - est là dans une aussi petite fissure que ça?"

"Oui. l'Enfer entier est plus petit qu'un caillou de votre monde terrestre. Mais il est encore plus petit qu'un atome de ce monde, le Vrai Monde. Regarde ce papillon-là. S'il devait avaler l'Enfer entier, l'Enfer ne serait pas assez gros pour lui lui faire du mal ou avoir même un goût quelconque."

"Il semble si grand, quand on y est."

"Et pourtant, toutes les solitudes, les colères, les haines, les envies et les douleurs perpétuelles qui s'y trouvent, mises dans une balance à côté de la fraction de joie la plus petite éprouvée par le plus petit dans le Ciel, ne feraient pas le poids. Le mal ne peut être mauvais aussi parfaitement que le bon est bon. Si toutes les misères de l'Enfer entraient dans la conscience du tout petit oiseau jaune perché sur cette branche-là, elles seraient tout simplement avalées, comme si l'on avait fait tomber une goutte d'encre dans ce Grand Océan, en comparaison duquel votre océan pacifique terrestre lui-même n'est qu'une molécule".[53]

12

EN PARLER AUX AUTRES: POURQUOI ET COMMENT?

POURQUOI DEVONS-NOUS PARLER DE NOTRE FOI CHRÉTIENNE? N'EST-CE PAS UNE affaire privée? Le meilleur chrétien n'est-il pas celui qui se contente simplement de vivre en chrétien? Certaines personnes me disent: *"Je connais quelqu'un [généralement c'est leur mère ou un ami] qui est un bon chrétien. Il a une foi solide, mais il n'en parle pas. Y a-t-il meilleure expression de la foi chrétienne?"*

La réponse est brève: quelqu'un doit le leur en avoir parlé. Une réponse plus longue consiste à dire qu'il existe de bonnes raisons de parler de Jésus aux autres. En premier lieu, c'est un commandement de Jésus en personne. Tom Forrest, le prêtre catholique qui a donné au Pape l'idée d'appeler les années 1990 "La décennie de l'évangélisation", fait remarquer que le mot "allez" apparaît 1 514 fois dans la Bible, 233 fois dans le Nouveau Testament et 54 fois dans l'évangile de Matthieu. Jésus nous dit d' *"aller"*:

"Allez vers les brebis perdues..."

"Allez dire à Jean..."

"Allez inviter tous ceux que vous rencontrerez..."

"Allez et faites des disciples..."

Et, précisément, ce sont les dernières paroles de Jésus qui apparaissent dans l'Évangile de Matthieu:

Jésus, s'étant approché, leur parla ainsi: "Tout pouvoir m'a été donné dans le ciel et sur la terre. Allez, faites de toutes les nations des disciples, les baptisant au nom du Père, du Fils et du Saint-Esprit, et enseignez-leur à observer tout ce que je vous ai prescrit. Et voici, je suis avec vous tous les jours, jusqu'à la fin du monde" (Matthieu 28:18-20).

Deuxièmement, nous devons parler aux gens car les gens ont désespérément besoin d'entendre la bonne nouvelle de Jésus-Christ. Si nous étions dans le désert du Sahara, et que nous venions de découvrir une oasis, il serait extrêmement égoïste de notre part de ne pas en parler aux assoiffés autour de nous. Jésus est le seul qui puisse étancher les coeurs assoiffés. On serait surpris si l'on savait parfois quelles sortes de gens reconnaissent cette soif; ainsi la chanteuse Sinead O'Connor disait dans une interview: *"Cette race souffre d'un sentiment de vide. Et la raison est que notre spiritualité a été balayée et que nous ne savons comment nous exprimer. On nous encourage ainsi à combler ce vide par l'alcool, les drogues, le sexe ou l'argent. Les gens crient leur soif de vérité"*.

En troisième lieu, nous parlons aux autres, parce que nous avons découvert cette bonne nouvelle nous-mêmes et que nous ressentons un désir ardent de la transmettre. Une bonne nouvelle se partage. Après la naissance de notre premier enfant, ma femme Pippa me donna une liste de dix personnes à qui je devais téléphoner pour annoncer la nouvelle. La première était sa mère. Je lui ai donc annoncé que nous avions un fils et que Pippa se portait bien. J'essayai de joindre ma mère, mais la ligne était occupée. La troisième personne sur la liste était la soeur de Pippa. Elle m'apprit qu'elle avait déjà eu la nouvelle par la mère de Pippa, ainsi que toutes les personnes sur ma liste. Elles avaient déjà été prévenues par la mère de Pippa. La ligne de ma mère était occupée, parce que la mère de Pippa était en train de lui téléphoner. Une bonne nouvelle se propage vite. Je n'ai pas eu besoin d'implorer la mère de Pippa pour qu'elle en fasse part à son tour. Elle brûlait d'en parler. Une fois que nous goûtons la bonne nouvelle de l'Evangile, nous brûlons d'en parler aux autres.

Mais comment? Je pense qu'il existe deux façons extrêmes et erronées de présenter l'Evangile. La première est de faire preuve d'insensibilité. Je m'en suis rendu coupable au tout début de ma conversion. J'étais tellement heureux que je désirais que tout le monde devienne chrétien. Quelques jours après ma conversion, je suis allé à une fête, bien déterminé à parler de ma foi à chaque personne. Une amie était en train de danser et je décidai qu'il lui fallait avant tout se rendre compte de son besoin spirituel. Je m'avançai vers elle et lui dis: *"Tu en tires une tête! Tu as vraiment besoin de Jésus"*. Elle a pensé que j'étais complètement fou. Ce n'était certainement pas la manière la plus efficace de partager la bonne nouvelle! (Indépendamment de moi, cette amie a quand même confié sa vie à Christ - et plus tard elle est devenue ma femme!)

Je retournai à une autre fête, bien décidé à m'équiper de manière adéquate. Je pris donc avec moi un bon nombre de livrets, d'ouvrages chrétiens sur tous les sujets et un Nouveau Testament. Je fourrai tout ça dans toutes mes poches, petites ou grandes. A la fête, je commençai à danser avec une fille, mais, alourdi par le poids de mes livres, je lui proposai assez rapidement que nous nous asseyions. Je fis bientôt dévier la conversation sur le christianisme et chaque fois qu'elle me posait une question, je lui présentais exactement le livre qu'il fallait. Ce qui fait qu'elle me quitta les bras chargés de livres.

Le jour suivant, elle prenait le bateau pour la France, emportant un de mes livres, qu'elle lut. A un moment, se tournant vers son voisin, elle dit: *"Je suis chrétienne"*. Elle venait de comprendre la vérité sur l'oeuvre de Jésus.

J'appris plus tard qu'elle se tua à cheval; elle avait vingt et un ans. Il est merveilleux qu'elle ait pu se tourner vers le Christ avant sa mort, bien que, et voilà mon propos, la manière que j'avais eue d'aborder le christianisme avec elle n'est pas forcément un exemple à suivre.

Si nous agissons avec la délicatesse d'un éléphant dans un magasin de porcelaine, tôt ou tard, cela nous fera mal. Même en abordant le sujet avec sensibilité, cela risque encore un jour de nous faire mal. Et à partir de ce jour-là, nous aurons tendance à ne plus oser témoigner, comme moi. Après quelques années, de l'insensibilité, je suis passé à l'autre extrême, la peur. Oui, il y eut un temps (et, quelle ironie, c'était à l'époque de mes études théologiques), où j'avais peur de parler de Jésus aux non-chrétiens. Un jour, un groupe d'étudiants de mon collège théologique partit en mission paroissiale dans les faubourgs de Liverpool, pour partager la Bonne Nouvelle. Un soir, mon ami Rupert et moi-même avions été envoyés pour dîner en compagnie d'un couple qui ne fréquentait l'église que de façon sporadique (en fait, c'était la femme qui ne la fréquentait qu'à l'occasion; l'homme, pas du tout). Nous sommes au milieu du repas quand le mari me demande la raison de notre présence. Catastrophé, je balbutie, j'hésite, je m'embrouille, je tergiverse. Et lui répète sa question. Alors, mon ami Rupert répondit sans détour: *"Nous sommes venus ici pour parler de Jésus"*. Je me sentais si gêné que j'aurais voulu que le sol nous engloutisse tous! Je me suis alors rendu compte que j'étais devenu peureux et que le simple fait de prononcer le nom de Jésus me paralysait de peur.

Pour ne pas tomber dans l'insensibilité ou la crainte, il faut que nous comprenions que le partage de notre foi est le fruit d'une relation personnelle avec Dieu, il en est la conséquence. Quand on marche avec Dieu, on parle automatiquement de notre relation avec lui aux autres; et le Saint-Esprit travaille avec nous.

Cinq concepts - qui commencent tous par "p" - peuvent être d'une aide précieuse dans ce domaine précis: *présence, persuasion, proclamation, puissance et prière.*

Présence

Jésus a dit à ses disciples:

"Vous êtes le sel de la terre. Mais si le sel perd sa saveur, avec quoi la lui rendra-t-on? Il ne sert plus qu'à être jeté dehors, et foulé aux pieds par les hommes. Vous êtes la lumière du monde. Une ville située sur une montagne ne peut être cachée; et on n'allume pas une lampe pour la mettre sous le boisseau, mais on la met sur le chandelier, et elle éclaire tous ceux qui sont dans la maison. Que votre lumière luise ainsi devant les hommes, afin qu'ils voient vos bonnes oeuvres, et qu'ils glorifient votre Père qui est dans les cieux" (Matthieu 5:13-16).

"Notre vocation", dit Jésus, *"est d'exercer une influence étendue" ("sel de la terre"* et *"lumière du monde").* Pour que cette influence soit efficace, il faut être "dans le monde" (au travail, dans le voisinage, avec la famille et les amis). Ne nous retirons pas dans ce que John Stott appelle nos *"petites et bien élégantes salières ecclésiastiques".* Notre vocation est d'être différents: vivre une vie radicalement différente, pour être efficaces, tels le sel et la lumière.

Nous sommes donc tout d'abord appelés à être du sel. Pendant des siècles, avant l'invention de la réfrigération, c'était le sel qui gardait la viande saine, l'empêchant ainsi de se gâter. Nous, chrétiens, sommes appelés à arrêter la dégradation sociale, et cela au moyen de nos paroles, qui communiquent les normes bibliques et morales, et de notre influence, grâce à laquelle les normes divines seront appliquées. Nos actions en tant que citoyens doivent chercher l'instauration de meilleures structures sociales et la promotion de la justice, la liberté, le respect de la dignité de l'homme et l'abolition de la discrimination. Pour arrêter la dégradation sociale, nous n'oublierons pas non plus les actions sociales en faveur des victimes de notre société. Et à cette fin, certains chrétiens sont appelés à participer à la politique nationale ou communale. D'autres sont appelés à passer leur vie, comme Mère Térésa et Jackie Pullinger, au sein d'un "ministère avec les pauvres" (pour reprendre l'expression de Jackie Pullinger). Nous avons tous reçu la vocation de jouer un rôle plus ou moins important.

Jésus nous appelle ensuite à être la lumière - nous devons permettre à la lumière de Christ de briller à travers nous. Jésus parle ici de nos "bonnes oeuvres", c'est-à-dire tout ce que nous faisons et disons en tant que chrétiens. Cela se résume ainsi: *"Tu aimeras ton prochain comme toi-même"*.

Mettre en pratique la théorie chrétienne est la meilleure manière de transmettre l'Évangile à nos voisins immédiats (famille, collègues et voisins de palier). Si ces derniers savent que nous sommes chrétiens, ils seront sur leurs gardes et un ministère exclusivement basé sur la parole pourrait produire des effets contraires à ceux recherchés. Une démonstration d'amour véritable et de sollicitude, voilà ce qui les touchera. Au travail, nos collègues doivent pouvoir remarquer notre ardeur, notre constance, notre sérieux, notre honnêteté, notre sincérité; ils doivent remarquer que lorsque nous ouvrons la bouche, c'est pour dire du bien, pour encourager. Et à la maison, est-ce que ce ne sera pas notre service, notre patience et notre gentillesse, bien plus que nos paroles, qui exerceront une influence?

Si le mari ou la femme n'est pas chrétien, tout cela revêt une importance capitale. L'apôtre Pierre a encouragé les épouses chrétiennes disant: *"Si quelques-uns [des maris] n'obéissent point à la parole, ils [seront peut-être] gagnés **sans parole**, par la conduite de leurs femmes, en voyant votre manière de vivre chaste et respectueuse"* (I Pierre 3:1, gras rajouté).

Bruce et Géraldine Streather s'étaient mariés en décembre 1973. Lorsque Géraldine donna sa vie à Dieu en 1981, Bruce n'était pas le moins du monde intéressé. Bruce était un avocat très pris et un fou de golf: il en jouait pratiquement tous les week-ends. Il n'allait jamais à l'église.

Pendant dix ans, Géraldine a prié pour lui, vivant sa foi chrétienne devant lui au quotidien. Elle ne fit jamais pression et ne provoquait pas de débats à ce sujet avec lui. Au fil du temps, Bruce était de plus en plus frappé par sa gentillesse et ses égards, particulièrement envers sa mère dont le cancer et les affections liées à sa maladie rendait de plus en plus difficile à supporter. Un jour, en 1991, elle l'invita à l'accompagner à un repas d'Alpha. Bruce vint et décida de revenir au cours Alpha suivant. Géraldine m'écrivit plus tard en me disant, *"Ce jour-là j'ai pleuré et prié pendant tout le chemin du retour, disant à Dieu que si j'avais réussi à amener Bruce à un cours Alpha, il devait faire le reste. Lorsque Bruce est rentré le premier soir du cours, je n'ai fait que lui demander s'il avait passé une bonne soirée"*.

Lors de la septième semaine du cours, Bruce donna sa vie au Christ, et à la fin des sessions, il était devenu le chrétien le plus enthousiaste qui ait jamais existé. J'ai demandé à Géraldine comment c'était de vivre avec lui désormais. Elle répondit, *"C'est un peu comme vivre avec Billy Graham!"*

Sa lettre continuait: *"Il parle à tout le monde de Jésus. Avant j'essayais de ne pas parler de christianisme devant nos amis quand Bruce était présent, au cas où cela mettrait notre mariage en danger, et maintenant à chaque fois que nous avons du monde, c'est lui qui parle de Dieu aux gens et moi je reste à l'autre bout, l'écoutant parler. Il semble que toutes mes prières ont été exaucées. En mars dernier j'avais dit à Dieu que je ne pouvais plus supporter que Bruce ne soit pas chrétien. Je lui ai dit que peu m'importait de ce qui arriverait à nottre maison et à notre argent du moment que Bruce devenait chrétien. Désormais notre vie ne sera plus jamais la même - grâce à Dieu"*.

Etre "la lumière du monde" ne signifie pas que seul notre style de vie doit changer: ce qui sort de notre bouche aussi. Notre famille, nos voisins de palier et nos collègues finiront par nous questionner sur notre foi. Et il vaut mieux attendre qu'ils le fassent. Soyons prêts à leur répondre, car Pierre écrit: *"...étant toujours prêts à vous défendre avec douceur et respect, devant quiconque vous demande raison de l'espérance qui est en vous"* (I Pierre 3:15).

Quel genre de réponse devons-nous donner?

Persuasion

Les objections à la foi chrétienne sont aujourd'hui nombreuses. Et ceux qui posent des questions (aussi nombreuses que les objections) veulent recevoir une réponse avant d'embrasser la foi chrétienne. Ces hommes et ces femmes doivent être persuadés de la vérité. Paul était disposé à persuader, par amour: c'était son devoir. *"Connaissant donc la crainte du Seigneur, nous cherchons à **convaincre** les hommes" (II Corinthiens 5:11, gras rajouté).*

A Thessalonique, il discute, explique, prouve, et *"quelques-uns d'entre eux furent persuadés.."*. *(Actes 17:4).* A Corinthe, tout en fabriquant des tentes pendant la semaine, *"Paul discourait dans la synagogue chaque sabbat, et il persuadait des Juifs et des Grecs" (Actes 18:4).*

Une conversation sur le christianisme provoque souvent des objections qui doivent être réfutées. Un jour, Jésus parlait à une femme à propos de sa vie désordonnée *(Jean 4)*. Puis, Jésus lui offre la vie éternelle. Elle pose alors une question théologique concernant l'endroit où il faut adorer. Cette question, Jésus y répond, mais il ramène vite la conversation sur le point essentiel. C'est un bon exemple à suivre.

En règle générale, lorsque les gens posent des questions théologiques et soulèvent des objections, ils veulent vraiment des réponses. Les questions les plus communes sont: *"Pourquoi Dieu permet-il la souffrance?"* et *"Que pensez-vous des autres religions?"* Mais elles abordent bien d'autres domaines. Certaines sont sérieuses et demandent des réponses sérieuses, tandis que d'autres ne sont qu'un écran de fumée. Ceux qui les posent sont rebutés par le christianisme, non pour des raisons théologiques, mais pour des raisons morales. Ils ne veulent pas donner leur vie à Christ par peur du changement que le christianisme entraîne.

Lors de la mission dans un faubourg de Liverpool dont nous parlions plus haut, Rupert et moi sommes allés à une réunion pour parler de notre foi. Après notre exposé, un professeur d'université a posé un grand nombre de questions et a levé nombre d'objections. Comme je ne savais pas par où commencer pour lui répondre, Rupert a simplement dit: *"Si nous pouvions répondre de manière satisfaisante à toutes vos questions, deviendriez-vous chrétien?"* Il a répondu, très honnêtement *"Non"*. Ainsi, dans ce cas, répondre aux questions n'aurait pas servi à grand-chose. Ses questions n'étaient que des objections purement académiques. Mais quand les questions expriment un vrai trouble ou un réel intérêt, raisonnement, explication et persuasion sont une partie importante du témoignage en faveur de Jésus.

Proclamation

Le coeur du message est la bonne nouvelle de Jésus-Christ. C'est l'annonce, la communication et la proclamation de la foi chrétienne aux non-croyants. Il existe mille et une manières d'annoncer l'Evangile. Un des moyens les plus efficaces consiste à encourager les gens à venir écouter quelqu'un qui explique l'Évangile. C'est peut-être ce qu'il y a de mieux à faire pour nous au début de notre vie chrétienne.

Beaucoup de nouveaux convertis ont des amis qui ne vont pas à l'église. C'est ici une excellente occasion de dire à ces amis, comme Jésus un jour: *"venez,... et voyez". (Jean 1:39)* J'ai entendu parler d'une jeune femme d'une vingtaine d'années qui, convertie depuis peu, s'était mise à fréquenter une église de Londres. Les week-ends, cependant, elle restait avec ses parents dans le Wiltshire; et il fallait qu'elle quitte la maison à 15 heures le dimanche après-midi, *"pour être à temps à l'église"*. Un dimanche, elle se trouva coincée dans un embouteillage, ce qui lui fit manquer le service du soir. Elle en fut tellement bouleversée qu'elle éclata en sanglots. Elle se rendit chez des amis, qui ne savaient rien de sa conversion. Lui demandant ce qui n'allait pas, elle répondit, toujours en larmes, *"J'ai manqué l'église"*. Ils l'ont regardée bouche bée. Le dimanche suivant, ils l'ont tous accompagnée pour voir ce qu'elle avait manqué! L'un d'entre eux s'est même converti quelque temps plus tard.

Y a-t-il un plus grand privilège, une plus grande joie que d'amener quelqu'un à Christ? L'ancien archevêque de Canterbury, William Temple, a écrit son commentaire de l'Evangile de Jean à genoux, demandant à Dieu de parler à son coeur. Arrivé au passage où il est écrit: *"Et il [André] le conduisit vers Jésus" (Jean 1:42),* il nota cette phrase mémorable: *"c'est le plus grand service qu'un homme puisse rendre à son semblable"*.

Nous ne savons pas grand-chose sur André, sinon qu'il amenait toujours des gens à Jésus *(Jean 6:8;12:22)*. Son frère, Simon Pierre, fut un de ceux qui influencèrent fortement l'histoire du christianisme. Nous ne pouvons pas tous être des Simon Pierre, mais tous, nous pouvons faire ce qu'André a fait: amener quelqu'un à Jésus.

Laissez-moi vous raconter une autre anecdote. Albert McMakin, un agriculteur de vingt-quatre ans, s'était converti depuis peu. Il était si enthousiaste qu'il emmena un jour des tas de personnes dans son camion pour une réunion d'évangélisation. Il y avait parmi eux un beau garçon, fils d'agriculteur, qu'Albert voulait vraiment amener à cette réunion. Mais ce jeune homme était difficile à convaincre; il était trop préoccupé par les filles pour s'intéresser au christianisme. Finalement, Albert McMakin réussit à le persuader de venir à la réunion: il lui demanda de conduire le camion. Arrivé devant le lieu de la réunion, l'invité d'Albert décide d'entrer; il est "magnétisé" par ce qu'il entend. Des pensées montent en lui qui ne lui étaient jamais venues. Il y retourna à plusieurs reprises jusqu'à ce qu'un soir, il s'avance et donne sa vie à Jésus-Christ. Cet homme, le conducteur du camion, c'est Billy Graham. Nous étions en 1934. Depuis lors, Billy Graham a conduit des milliers de personnes à la foi en Jésus-Christ. Nous ne pouvons pas tous être comme Billy Graham, mais tous, nous pouvons être comme Albert McMakin, qui amena ses amis à Jésus.

Parfois, les circonstances nous permettent d'expliquer l'Evangile nous-mêmes. Raconter notre propre expérience est une bonne manière de le faire. Nous avons un modèle biblique dans le témoignage de l'apôtre Paul dans *Actes 26:9-23.* Ce témoignage comporte trois parties: Paul commence à parler de son ancienne vie *(v. 9-11),* ensuite il parle de la signification d'une rencontre avec Jésus *(v. 12-15)* et finalement, il parle de ce que cela a représenté pour lui depuis lors *(v. 19-23).* Un plan peut être utile. On peut présenter l'Evangile de beaucoup de manières différentes. La méthode que j'utilise personnellement est présentée dans le livret *Pourquoi Jésus?* Après cela, je conduis les gens dans la prière qui se trouve à la fin du chapitre 3 de ce livre.

Un homme de notre église m'a un jour raconté sa conversion. A l'époque, ses affaires ne marchaient pas trop et il devait se rendre aux Etats-Unis pour des raisons commerciales. Dans le taxi qui l'emmenait à l'aéroport, il ne se sentait pas très heureux. Sur le tableau de bord, il remarqua les photos des enfants du chauffeur de taxi. Bien qu'il ne voyait pas le visage du chauffeur, il le questionna sur sa famille. Il sentait que les paroles de l'homme étaient remplies d'amour. Au fil de la conversation, le chauffeur lui dit: *"J'ai l'impression que vous n'êtes pas heureux. Si vous croyez en Jésus, il fera toute la différence".*

L'homme d'affaires me dit: *"C'était un homme qui parlait avec autorité. Je pensais que l'autorité, ici, c'était moi. C'est moi qui payais, après tout".* Pour finir, le chauffeur lui dit: *"Vous ne pensez pas qu'il est temps que vous régliez tout cela en acceptant Jésus?"* (Ils étaient en train d'arriver à l'aéroport.) Pour la première fois, le chauffeur se retourna et l'homme d'affaires vit son visage, un visage empreint de bonté. *"Pourquoi ne prierions-nous pas? Si vous désirez que Christ entre dans votre vie, demandez-le lui".* Ils prièrent ensemble et le chauffeur lui donna un tract sur la foi chrétienne. Ce chauffeur de taxi était un homme modeste, sans prétention, qui n'avait apparu qu'un instant dans la vie de l'homme d'affaires. Mais il avait saisi cette occasion pour proclamer la bonne nouvelle de Jésus-Christ. La vie d'un homme en fut transformée.

Puissance

Dans le Nouveau Testament, la proclamation de l'Evangile est souvent accompagnée d'une démonstration de la puissance de Dieu. Jésus est venu en proclamant: *"Le royaume de Dieu est proche. Repentez-vous et croyez à la bonne nouvelle!" (Marc 1:15)*. Et Jésus a démontré la puissance de l'Evangile, en expulsant le mal *(Marc 1:21-28)* et en guérissant les malades *(Marc 1:29-34,40-45)*.

Jésus a dit à ses disciples de faire ce que lui-même avait fait. Il leur a dit de faire les oeuvres du Royaume - *"de guérir les malades"*, de proclamer la bonne nouvelle et de dire: *"le royaume de Dieu s'est approché de vous" (Luc 10:9)*. Une lecture des Evangiles et des Actes nous montrera que c'est exactement ce qu'ils ont fait. Paul a écrit aux Thessaloniciens: *"Notre évangile ne vous a pas été prêché en paroles seulement, mais avec puissance" (I Thessaloniciens 1:5)*.

Proclamation et démonstration vont de paire. Souvent l'une conduit à l'autre. Un jour Pierre et Jean allèrent au temple. Dehors, ils virent un homme, paralysé de naissance. Depuis des années, il était là, assis, demandant l'aumône. Et Pierre lui dit: *"Je n'ai ni argent ni or, mais ce que j'ai, je te le donne. Au nom de Jésus-Christ de Nazareth, lève-toi et marche"*. Il lui prit la main et l'aida à se lever. A l'instant, il sauta sur ses pieds et commença à marcher. Se voyant guéri, l'homme faisait des bonds et louait Dieu *(Actes 3:1-10)*.

Comme tout le monde savait que cet homme était paralysé depuis des années, une foule se rassembla. Et après cette démonstration de puissance divine vint la proclamation de l'Évangile. Les gens se demandaient: *"Comment cela s'est-il produit?"* Pierre put alors leur parler de Jésus: *"C'est par la foi en son nom [le nom de Jésus] que son nom a raffermi celui que vous voyez et connaissez; c'est la foi en lui qui a donné à cet homme cette entière guérison, en présence de vous tous" (Actes 3:16)*. Dans le chapitre suivant, nous examinerons ce domaine de la guérison en détail, en nous penchant sur la nature du royaume de Dieu et la place qu'y tient la guérison.

Prière

L'importance de la prière dans la vie de Jésus a déjà été soulignée. Il proclamait par ses paroles, il démontrait par ses oeuvres, mais il priait aussi *(Marc 1:35-37)*. La prière joue un rôle essentiel dans nos échanges avec les autres.

Il nous faut prier pour que les yeux spirituellement aveugles recouvrent la vue. Beaucoup de personnes sont aveuglées de manière à ne pas voir l'Evangile *(II Corinthiens 4:4)*. Il nous faut prier pour que l'Esprit de Dieu ouvre leurs yeux et qu'elles comprennent la vérité sur Jésus.

La plupart d'entre nous découvrons, après notre conversion, que telle ou telle personne priait pour nous: un membre de la famille, un parent spirituel ou un ami. J'en suis presque certain, dans tous les cas, il y aura eu quelqu'un qui intercédait pour que nos yeux s'ouvrent à la vérité. James Hudson Taylor, fondateur de la *Mission Intérieure pour la Chine,* a joué un rôle capital dans la conversion de millions de personnes. Elevé dans le Yorkshire, c'était un adolescent rebelle. Un jour que sa mère était partie au loin et que sa soeur était absente, il prit un livre chrétien pour en lire l'histoire sans pour autant se sentir concerné par la morale. Il s'enferma dans la grange et commença sa lecture.

Il fut frappé par l'expression *"l'oeuvre accomplie par Christ"*. Pour lui, le christianisme n'était qu'une lutte ennuyeuse livrée contre les mauvaises actions, qu'on essaye de racheter par de bonnes oeuvres. Il avait depuis longtemps abandonné la lutte, il était trop redevable. Il essayait simplement de profiter de la vie. Cette expression ouvrit son esprit à la certitude que Christ, par sa mort sur la croix, l'avait déjà déchargé de la dette du péché: *"Et, le Saint-Esprit éclairant mon âme, cette certitude fit se lever en moi, telle l'aurore, la joyeuse conviction que rien au monde n'a de valeur, sinon de se mettre à genoux pour s'ouvrir au Sauveur et à son salut, et pour le louer à jamais"*. Ni Martin Luther ni John Bunyan ni John Wesley n'avaient saisi cette réalité du fardeau qui tombe, de la lumière qui dissipe les ténèbres, de la nouvelle naissance et de la relation intime avec Jésus-Christ, aussi bien qu'Hudson Taylor cet après-midi du mois de juin 1849; il avait dix-sept ans.

Dix jours après, au retour de sa mère, il se précipite à sa rencontre "pour lui dire [qu'il avait] de si bonnes nouvelles à donner". Le serrant dans ses bras, elle lui répondit: "Je sais, mon garçon. Voilà quinze jours que je me réjouis de la joyeuse nouvelle que tu as à me dire". Hudson n'en revenait pas. Sa mère avait été à cent vingt kilomètres de la maison, et, le jour même où il s'était enfermé dans la grange, elle avait ressenti un désir si grand de prier pour Hudson qu'elle avait passé des heures à genoux; et quand elle s'était relevée, elle avait eu la conviction que ses prières avaient été exaucées. Hudson Taylor n'oublia jamais l'importance de la prière.[54]

Le jour où l'un de mes amis, Ric, se convertit, il téléphona à un ami chrétien pour lui dire ce qui s'était passé. Et cet ami lui dit: *"Cela fait quatre ans que je prie pour toi"*. Ric se mit alors à prier pour un de ses amis à lui, et en l'espace de dix semaines, lui aussi devint chrétien.

Il nous faut prier pour nos amis. Mais il nous faut aussi prier pour nous-mêmes. Lorsque nous parlons de Jésus autour de nous, nous recevons parfois une réaction négative. Nous sommes alors tentés d'abandonner. Quand Pierre et Jean ont guéri le paralytique et qu'ils ont proclamé l'Evangile, on les a arrêtés et menacés s'ils continuaient. De temps en temps, ils accusèrent le coup d'une réaction très négative; mais ils n'abandonnèrent pas pour autant. Au contraire, ils prièrent, non pour être protégés, mais pour recevoir le courage de prêcher l'Evangile et pour que Dieu accomplisse plus de signes et de merveilles par le nom de Jésus *(Actes 4.29-31)*.

Il est vital que nous tous, chrétiens, persévérions dans nos contacts avec les autres - par notre présence, par la persuasion, par la proclamation, par la puissance et par la prière. Si nous persévérons, nous verrons au cours de notre vie un grand nombre de vies changées.

Pendant la guerre, un homme trouva un jour son ami mourant dans une tranchée. Se penchant sur lui, il lui demanda: *"Puis-je faire quelque chose pour toi?"*

"Non," dit-il, *"je meurs."*

"Je peux peut-être envoyer un message à quelqu'un de ta part?"

"Oui, à cet homme, à cette adresse. Dis-lui que dans mes dernières heures, ce qu'il m'a enseigné quand j'étais enfant m'aide à mourir."

Cet homme était son ancien moniteur d'école du dimanche. Lorsque le message lui parvint, il pria et dit: *"Dieu, pardonne-moi d'avoir abandonné l'enseignement de l'école du dimanche, parce que je pensais que je perdais mon temps. Je croyais que c'était inutile."*

Lorsque nous parlons de Jésus, ce n'est jamais "inutile". Car l'Evangile est *"la puissance de Dieu pour le salut de quiconque croit" (Romains 1:16)*.

13

DIEU GUÉRIT-IL ENCORE AUJOURD'HUI?

IL Y A QUELQUES ANNÉES, UNE JAPONAISE NOUS DEMANDA, À MA FEMME ET moi, de prier pour son problème de dos. Nous lui avons imposé les mains et avons demandé à Dieu de la guérir. Par la suite, j'évitais de la rencontrer, car je ne savais pas comment lui expliquer pourquoi elle n'avait pas été guérie. Un jour, pourtant, au coin d'une rue, je tombai nez à nez avec elle; pas moyen de l'éviter. Par simple politesse, je lui posai la question tant redoutée: *"Et comment va votre dos?"*

"Oh," dit-elle, *"parfaitement, depuis que vous avez prié pour moi."*

Je ne sais pas pourquoi j'étais surpris, mais je l'étais vraiment.

Lorsqu'un dimanche, John Wimber est venu à notre église, accompagné d'une équipe de sa communauté (la *Vineyard Christian Fellowship*), il a parlé de la guérison. Et le lundi suivant, il est venu assister à une réunion des responsables de l'église. Nous étions entre soixante et soixante-dix et, là encore, il a parlé de la guérison. D'autres personnes nous avaient déjà parlé du sujet, mais ce que cet homme disait nous plaisait beaucoup... jusqu'à la pause après laquelle, dit-il, nous aurions un "atelier". Nous ne savions pas du tout à quoi nous attendre. John Wimber déclara que son équipe avait reçu douze "paroles de sagesse" concernant des personnes dans la salle. Par *"parole de sagesse" (I Corinthiens 12:8),* il voulait dire une révélation surnaturelle à propos d'une personne ou d'une situation, que l'esprit normal ne peut produire, mais que seul l'Esprit de Dieu peut donner. Cette révélation surnaturelle peut être une image, un mot lu ou entendu mentalement, ou une sensation physique. Il a ensuite énuméré toute une liste de ces révélations et a dit qu'il invitait les personnes concernées à s'avancer afin que l'on prie pour eux.

L'un d'entre nous était particulièrement sceptique et c'était moi.

Cependant, à mesure que, une à une, les personnes répondaient aux descriptions, dont certaines étaient détaillées (par exemple, un homme qui s'était blessé le dos en coupant du bois à l'âge de quatorze ans), la foi commençait à augmenter dans la salle. Chacune des douze paroles de sagesse trouva son correspondant. Je me rappelle une parole qui concernait un problème de stérilité. Entre nous, qui nous connaissions bien, nous étions sûrs que ce problème ne s'appliquait à personne. Une femme, pourtant, qui n'avait jamais pu avoir d'enfant, s'est courageusement levée de sa place pour s'avancer. On pria pour elle et, exactement neuf mois plus tard, elle enfantait le premier de ses cinq enfants!

Mon attitude durant cette soirée reflétait bien la peur et le scepticisme que beaucoup d'entre nous au XXᵉ siècle avons, face à ce sujet de la guérison. Après cette soirée, j'ai décidé de relire la Bible pour essayer de mieux comprendre ce qu'elle dit sur la guérison. Et plus j'en apprends, plus je suis convaincu qu'il faut s'attendre aux guérisons miraculeuses; oui, même à notre époque. Bien sûr, Dieu guérit également par la main des docteurs, des infirmières et en utilisant la science médicale.

La guérison dans la Bible

L'Ancien Testament mentionne les promesses de Dieu d'apporter la santé et la guérison à son peuple, s'il lui obéit *(ex. Exode 23:25-56; Deutéronome 28; Psaume 41)*. Et, en effet, il est dans le caractère de Dieu de guérir, car il dit: *"Je suis l'Eternel, qui te guérit". (Exode 15:26)* Nous y trouvons également de nombreux exemples de guérisons miraculeuses *(ex. I Rois 13:6; II Rois 4:8-37; Esaïe 38)*.

Une des guérisons les plus frappantes est celle de Naaman, le commandant de l'armée du roi d'Aram, atteint de la lèpre. Dieu l'a guéri après qu'il se soit, contre son gré, plongé sept fois dans le Jourdain. *"Sa chair redevint comme la chair d'un jeune enfant, et il fut pur" (II Rois 5:14)* et il reconnut que le Dieu d'Israël est le seul vrai Dieu. Elisée, sur l'ordre de qui Naaman s'était baigné, refusa que Naaman lui offre de l'argent pour sa guérison (bien que son serviteur Guéhazi ait commis l'erreur fatale d'essayer, en cachette, de prendre l'argent pour lui). Nous voyons, premièrement, que la guérison peut produire un effet remarquable sur une personne; physiquement, mais aussi spirituellement, dans sa relation avec Dieu. Guérison et foi peuvent aller de paire. Deuxièmement, nous remarquons que la guérison surnaturelle est un don gratuit de Dieu. Si Dieu agit ainsi dans l'Ancien Testament, où l'on ne pouvait alors qu'entrevoir le royaume de Dieu et où le Saint-Esprit n'était pas encore largement répandu, nous sommes en droit de nous attendre à ce que Dieu agisse de la même manière, maintenant que Jésus a inauguré le royaume de Dieu et que nous sommes dans l'ère de l'Esprit.

Les premiers mots que Marc met dans la bouche de Jésus sont: *"Le temps est accompli et le royaume de Dieu est proche. Repentez-vous et croyez à la bonne nouvelle" (Marc 1.15).* Le thème du royaume de Dieu est central dans le ministère de Jésus. Les expressions "le royaume de Dieu" et "le royaume des cieux" reviennent plus de quatre-vingt-deux fois, quoique cette dernière expression ne se trouve que dans l'Evangile de Matthieu. Les deux termes sont synonymes: "les cieux" était une expression juive commune pour se référer à Dieu sans mentionner le nom divin. L'orientation juive de l'Evangile de Matthieu, par opposition à ceux de Luc et Marc, explique probablement cette différence de termes.

Le mot grec pour "royaume", *basileia,* est une traduction du mot araméen *mulkuth,* utilisé selon toute probabilité par Jésus. *Mulkuth* ne signifie pas seulement royaume au sens politique ou géographique, mais il contient aussi l'idée d'action, le fait de gouverner ou de régner. Ainsi, le "royaume de Dieu" signifie "le gouvernement et le règne de Dieu".

Selon la doctrine de Jésus, un événement futur qui aura lieu *"à la fin du monde" (Matthieu 13.49)* fait également partie du royaume de Dieu. Dans une de ses paraboles sur le royaume, Jésus parle d'une moisson future à la fin du monde, lorsque *"le Fils de l'homme enverra ses anges qui arracheront de son royaume tous les scandales et ceux qui commettent l'iniquité... Alors les justes resplendiront comme le soleil dans le royaume de leur Père" (Matthieu 13:24-43).* Le retour de Jésus signifiera la fin du monde. Sa première venue était placée sous le signe de la fragilité; mais quand il reviendra, ce sera *"avec puissance et une grande gloire" (Matthieu 24:30).*

L'histoire nous conduit vers ce glorieux événement du retour de Jésus-Christ *(Matthieu 25:31).* Dans le Nouveau Testament seul, il y a plus de 300 références à cette seconde venue. Tout le monde le verra paraître. L'histoire, nous le savons, se terminera. Ce sera le temps de la résurrection universelle et le Jour du Jugement. Pour certains (pour ceux qui ont rejeté l'Evangile), ce jour sera un jour de destruction *(II Thessaloniciens 1:8-9);* d'autres se verront ce jour-là offrir leur héritage dans le royaume de Dieu *(Matthieu 25:34).* Il y aura de nouveaux cieux et une nouvelle terre *(II Pierre 3:13; Apocalypse 21:1).* Jésus lui-même sera présent *(Apocalypse 21:22-23),* ainsi que ceux qui l'aiment et lui obéissent. Une joie intense et éternelle y régnera *(I Corinthiens 2:9)* et nous aurons un nouveau corps impérissable et glorieux *(I Corinthiens 15:42-43).* Il n'y aura plus ni mort, ni deuil, ni cri, ni tort *(Apocalypse 21:4).* Ceux qui croient seront guéris totalement en ce jour.

Mais Jésus enseigne que le royaume de Dieu se manifeste aussi aujourd'hui. Nous en voyons les signes; le royaume pointe à l'horizon. Jésus a dit aux pharisiens: *"Le royaume de Dieu est parmi vous" (Luc 17:20-21)*. Dans sa parabole du trésor caché et de la perle de grand prix *(Matthieu 13:44-46),* Jésus enseigne que le royaume est une chose que l'on peut découvrir et expérimenter dès maintenant. Dans tous les Evangiles, il est clair que Jésus considérait son ministère comme l'accomplissement des promesses de l'Ancien Testament. Dans la synagogue de Nazareth, Jésus a lu la prophétie d'*Esaïe 61:1-2* et a affirmé: *"Aujourd'hui cette parole de l'Ecriture, que vous venez d'entendre, est accomplie" (Luc 4:21)*. Il démontra alors la présence du royaume par son ministère du pardon des péchés, du combat contre le mal et de la guérison des malades.

Le royaume est à la fois pour "maintenant" et pour "plus tard". Les Juifs s'attendaient à ce que le Messie inaugurât immédiatement un royaume total, comme le montre le petit schéma suivant:

AGE PRESENT	AGE A VENIR

La doctrine de Jésus a modifié leur point de vue. Le schéma modifié est celui-ci:

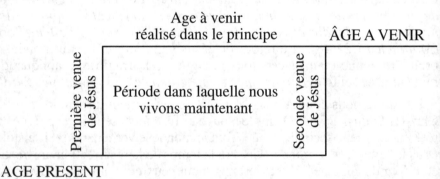

Nous vivons entre deux âges; l'âge à venir ayant déjà fait son apparition. L'âge ancien est toujours là, mais les puissances spirituelles de l'âge nouveau sont déjà en action. Le royaume futur a fait son apparition. Ce royaume de Dieu, Jésus l'a prêché et il l'a manifesté en guérissant les malades, en ressuscitant les morts et en chassant les démons.

Un quart des Evangiles parle de guérison et, bien que Jésus n'ait pas guéri toute la Judée, nous pouvons souvent lire qu'il guérissait des individus ou des groupes d'individus *(ex. Matthieu 4:23; 9:35; Marc 6:56; Luc 4:40; 6:19; 9:11).* La guérison est une activité normale du royaume.

En matière de guérison, Jésus n'a pas voulu garder le monopole: il a envoyé ses disciples pour faire la même chose. D'abord les douze, comme le dit clairement l'Evangile de Matthieu. Matthieu dit que *"Jésus parcourait toute la Galilée, enseignant dans les synagogues, prêchant la bonne nouvelle du royaume, et guérissant toute maladie et toute infirmité parmi le peuple" (Matthieu 4:23).* Matthieu donne ensuite certains enseignements et prédications de Jésus, dans *Matthieu 5-7 (le Sermon sur la Montagne).* Il cite après cela neuf miracles (principalement de guérison) et conclut avec quasiment les mêmes mots de *Matthieu 4:23: "Jésus parcourait toutes les villes et les villages, enseignant dans les synagogues, prêchant la bonne nouvelle du royaume, et guérissant toute maladie et toute infirmité" (Matthieu 9:35).* Matthieu utilise ici un procédé littéraire de répétition, l'inclusion, qui était utilisée pour remplacer la ponctuation et éviter la rupture des paragraphes afin de marquer le commencement et la fin de chaque section. Après avoir montré ce que Jésus lui-même avait fait, Matthieu nous dit que Jésus a envoyé les douze faire la même chose. Le message qu'ils devaient prêcher était le même que le sien: *"Le royaume des cieux est proche. Guérissez les malades, ressuscitez les morts, purifiez les lépreux, chassez les démons" (Matthieu 10:8).*

Mais cette mission n'a pas seulement été réservée aux douze. Soixante-dix autres choisis par lui ont reçu un ordre semblable: *"Guérissez les malades... et dites-leur: le royaume de Dieu s'est approché de vous" (Luc 10:9).* Ils sont revenus avec joie et ont dit: *"Seigneur, les démons mêmes nous sont soumis en ton nom" (v. 17).*

Mais les soixante-dix et les douze n'ont pas non plus reçu l'exclusivité de ces oeuvres. Jésus s'attend à ce que tous ses disciples fassent la même chose. *Matthieu 28:18-20* dit ceci: *"Faites de toutes les nations des disciples... et enseignez-leur à observer **tout** ce que je vous ai prescrit" (gras rajouté).* Jésus n'a pas dit: *"Tout, sauf ce qui concerne les guérisons."*

Nous trouvons le même commandement dans la fin de l'Evangile de Marc, d'une manière plus détaillée. Cela nous montre d'ailleurs bien la compréhension que l'Eglise primitive avait de cette sainte commission: *"Puis il leur dit: allez par tout le monde, et prêchez la bonne nouvelle à toute la création. Celui qui croira et qui sera baptisé sera sauvé... Voici les miracles qui accompagneront **ceux qui auront cru**: en mon nom, ils chasseront les démons; ils parleront de nouvelles langues; ils saisiront des* *serpents; s'ils boivent quelque breuvage mortel, il ne leur fera point de mal; ils imposeront les mains aux malades, et les malades seront guéris".* (Marc 16.15-18, gras rajouté) . Remarquez que Jésus a dit: *"Les signes qui accompagneront ceux qui auront cru",* c'est-à-dire *"ceux qui croient en Jésus-Christ",* soit tous les chrétiens.

L'Evangile de Jean confirme le message. Parlant de miracles, Jésus dit: *"Celui qui croit en moi fera aussi les oeuvres que je fais, et il en fera de plus grandes, parce que je m'en vais à mon Père" (Jean 14:12).* Personne, absolument personne, n'a surpassé en qualité les miracles de Jésus; mais, depuis son ascension, ils ont bien été surpassés en quantité. Non, Jésus n'a jamais cessé d'accomplir des miracles, mais il le fait maintenant par le moyen d'êtres humains imparfaits. Relevons ici encore le fait que Jésus parle de *"celui qui croit en moi".* Celui-là, c'est vous et moi. Ces commandements et promesses ne sont pas réservés à une catégorie spéciale de chrétiens.

Jésus a opéré des guérisons; il a dit à ses disciples de faire la même chose, et il en fut ainsi. Dans le livre des Actes, nous les voyons pratiquer ce commandement. Les disciples ont continué à prêcher et à enseigner, mais également à guérir les malades, ressusciter les morts et chasser les démons *(Actes 3:1-10; 4:12; 5:12-16; 8:5-13; 9:32-43; 14:3,8-10; 19:11-12; 20:9-12; 28:8-9). I Corinthiens 12-14* montre très clairement que Paul ne croyait pas que ces dons fussent réservés aux seuls apôtres. De la même manière, l'auteur de l'épître aux Hébreux déclare que Dieu appuie le témoignage *"par des signes, des prodiges, et divers miracles, et par les dons du Saint-Esprit" (Hébreux 2:4).*

La Bible dit-elle que les guérisons miraculeuses sont réservées à une certaine période de l'histoire? Loin de là! La guérison est un des signes du royaume inauguré par Jésus-Christ et qui doit continuer d'en faire partie. Attendons-nous donc à cette activité divine miraculeuse, aujourd'hui encore.

La guérison dans l'histoire de l'Eglise

Dans son ouvrage *"La guérison dans l'Eglise chrétienne" (Christian Healing),* Evelyn Frost examine à la loupe des passages écrits par les écrivains de l'Eglise primitive comme Quadratus, Justin Martyr, Théophile d'Antioche, Irénée, Tertullien et Origène et conclut que la guérison était parfaitement normale dans l'Eglise primitive.

Irénée (env. 130-200 apr. J.-C.), évêque de Lyon et l'un des théologiens de l'Eglise primitive écrit ceci:

Ses vrais disciples, bénéficiaires de sa grâce, accomplissent en son nom [des miracles], pour étendre le bien-être aux autres hommes, suivant le don que chacun a reçu de lui. Car il en est qui, assurément et véritablement, chassent les démons, de telle sorte que ceux qui ont ainsi été purifiés des esprits mauvais souvent croient [au Christ] et se joignent à l'Eglise. D'autres ont une connaissance des choses à venir: ils ont des visions, ils prophétisent. D'autres encore guérissent les malades en leur imposant les mains, et ils recouvrent la santé. Bien plus, comme dit précédemment, les morts ressuscitent et vivent parmi nous encore plusieurs années.[55]

Origène (env. 185-254 apr. J.-C.), autre théologien, savant et écrivain de l'Eglise primitive, dit des chrétiens: *"Ils expulsent les esprits mauvais et guérissent beaucoup de maladies et annoncent certains événements... le nom de Jésus... peut faire disparaître les maladies."*

Deux cents ans plus tard, on s'attendait toujours à la guérison divine directe. Augustin d'Hippone (354-430 apr. J.-C.), que beaucoup considèrent comme le plus grand théologien des quatre premiers siècles de notre ère, déclare dans *La Cité de Dieu* que *"même maintenant des miracles s'accomplissent au nom de Christ"*. Il cite l'exemple d'un homme aveugle à Milan qui a recouvré la vue, en sa présence. Il décrit ensuite la guérison d'Innocent, un homme qui était avec lui. Des docteurs le traitaient pour des problèmes de fistules dont *"plusieurs étaient embrouillées dans le rectum!"* Cet homme avait déjà subi une opération très pénible et l'on craignait pour sa vie au cours de la seconde intervention. Pendant qu'on priait pour lui, il fut violemment projeté au sol, on l'entendit gémir et pleurer; tout son corps tremblait et il était incapable de parler. Arriva le jour tant redouté de l'opération. *"Les chirurgiens arrivèrent... on sortit les terribles instruments... on découvrit la partie du corps; son couteau à la main, le chirurgien se mit à la recherche du sinus à couper. Il le chercha des yeux, avec ses doigts; il le chercha par tous les moyens, mais en vain"*. Il ne vit qu'une plaie parfaitement guérie. *"Décrire la joie, le bonheur, la louange, les larmes versées, la reconnaissance envers ce Dieu tout-puissant et miséricordieux qui jaillissaient de partout est impossible. Qu'on imagine la scène, plutôt!"*

Il décrit ensuite la guérison d'Innocente - une femme fort pieuse de très haut rang - qui fut guérie d'un cancer du sein, que les docteurs estimaient incurable. Le docteur voulut savoir par quel moyen elle avait été guérie. Quand elle lui dit que c'était Jésus qui l'avait guérie, il devint furieux, disant: *"Je pensais que vous me feriez faire une grande découverte"*. Elle, frissonnant devant l'indifférence de son médecin, répliqua: *"Guérir un cancer, est-ce grand de la part de quelqu'un qui a ressuscité un mort enterré depuis quatre jours?"*

Augustin parle aussi d'un docteur souffrant de la goutte, guéri *"au moment-même du baptême"*, et d'un vieux comédien guéri, lui aussi à son baptême, de la paralysie et d'une hernie. Augustin connaît tant de cas de guérisons miraculeuses qu'il déclare: *"Que dois-je faire? Je suis tellement pressé de pouvoir enfin terminer cet ouvrage, que je ne puis y établir tous les miracles que je connais... même maintenant, beaucoup de miracles ont lieu; le même Dieu, auteur des miracles que nous lisons, les accomplit encore par Celui qu'il a choisi, et selon son bon plaisir."*

Toute l'histoire de l'Eglise est parsemée d'actes de guérison divine directe. Les guérisons n'ont jamais cessé, elles existent toujours à notre époque.

Edward Gibbon, le rationaliste anglais, historien et savant, bien connu comme l'auteur de *L'Histoire du déclin et de la chute de l'Empire romain* (1776-1788) donne cinq causes de la croissance rapide et remarquable du christianisme. L'une d'entre elles est *"les pouvoirs miraculeux de l'Eglise primitive"*. Il déclare que *"l'Eglise chrétienne, à partir du temps des apôtres et des premiers disciples s'est fait la championne d'une succession ininterrompue de pouvoirs miraculeux, du don des langues, de la vision et la prophétie, du pouvoir d'expulser les démons, de guérison et de la résurrection des morts"*. Gibbon fait remarquer la contradiction entre *"un scepticisme latent et même involontaire existant aux côtés de dispositions d'esprit fort pieuses"* chez ses contemporains. Contrairement à l'Eglise primitive, écrit-il, dans l'Eglise de son époque *"l'acceptation des vérités surnaturelles ressemble plus à un consentement froid et placide qu'à un article de foi vécu. Depuis longtemps accoutumée à observer et à respecter l'ordre immuable de la Nature, notre raison ou, tout du moins notre imagination, n'est pas suffisamment préparée pour croire vraiment à l'action visible de la Divinité"*. C'est bien dix fois plus vrai aujourd'hui.

La guérison aujourd'hui

Dieu guérit encore. Il existe tellement d'histoires merveilleuses de guérison divine que je n'arrive pas à choisir celle que je vous citerai en exemple. Ajay Gohill a raconté son histoire à un récent service de baptême et de confirmation à notre église. Il est né au Kenya et est venu en Angleterre en 1971. Il a reçu une éducation hindoue et a travaillé dans l'entreprise familiale comme marchand de journaux à Neasden. A l'âge de vingt et un ans, il contracte une maladie chronique de la peau, le psoriasis érythrodermique. Il perd du poids et tombe de quatre-vingts kilos à quarante-sept kilos et demi. Il est traité dans le monde entier - aux Etats-Unis, en Allemagne, en Suisse, en Israël et dans toute l'Angleterre; il va même consulter les médecins de la très célèbre rue Harley à Londres. Il consacre 80% de ses revenus à la recherche d'un remède. Il prend des médicaments puissants qui affectent son foie et il doit même abandonner son travail. Sa maladie, qui couvre son corps de la tête aux pieds rend son apparence si repoussante qu'il ne peut même pas se permettre d'aller à la piscine ou d'enfiler un T-shirt. Tous ses amis le quittent, sa femme et son fils aussi. Ajay Gohill veut mourir. Le 20 août 1987, le voilà en chaise roulante dans l'hôpital Saint Thomas où il a passé sept semaines à recevoir différents traitements. Le 14 octobre, étendu sur le lit, il rumine à nouveau ses pensées noires. Alors il crie: *"Dieu, si tu me vois, laisse-moi mourir... et pardonne-moi si j'ai mal agi dans ma vie"*. Il nous a dit que, tout en priant, il *"ressentait une présence"*. Il regarde dans le tiroir, en tire une Bible qu'il ouvre au hasard au *Psaume 38:*

> *"Eternel! ne me punis pas dans ta colère, et ne me châtie pas dans ta fureur. Car tes flèches m'ont atteint, et ta main s'est appesantie sur moi. Il n'y a rien de sain dans ma chair à cause de ta colère, il n'y a plus de vigueur dans mes os à cause de mon péché. Car mes iniquités s'élèvent au-dessus de ma tête; comme un lourd fardeau, elles sont trop pesantes pour moi. Mes plaies sont infectes et purulentes, par l'effet de ma folie. Je suis courbé, abattu au dernier point; tout le jour je marche dans la tristesse. Car un mal brûlant dévore mes entrailles, et il n'y a rien de sain dans ma chair. Je suis sans force, entièrement brisé; le trouble de mon coeur m'arrache des gémissements. Seigneur! Tous mes désirs sont devant toi, et mes soupirs ne te sont point cachés. Mon coeur est agité, ma force m'abandonne et la lumière de mes yeux n'est plus même avec moi. Mes amis et mes connaissances s'éloignent de ma plaie, et mes proches se tiennent à l'écart... Ne m'abandonne pas, Eternel! Mon Dieu, ne t'éloigne pas de moi! Viens en hâte à mon secours, Seigneur, mon salut!"*
> *(Psaume 38:1-12,22-23)*

Il lui semble que chacun des versets s'applique à lui. Il prie Dieu pour qu'il le guérisse et s'endort d'un profond sommeil. Quand il se réveille le lendemain, tout lui semble nouveau. Il va dans la salle de bain et se plonge dans un bain, pour se relaxer. En regardant l'eau de son bain, il s'aperçoit que la peau s'est détachée et flotte à la surface. Tout de suite, il appelle les infirmières et leur dit que Dieu est en train de le guérir. Toute sa peau est nouvelle, lisse comme celle d'un bébé. Ajay se voit totalement guéri. Depuis, il a renoué avec son fils et déclare que la guérison intérieure est encore plus importante que la guérison de son corps. *"Tous les jours, je vis pour Jésus. Je suis son serviteur"* affirme-t-il.

Dieu est un Dieu qui guérit. Le mot grec qui signifie "je sauve" signifie aussi "je guéris". La sollicitude de Dieu ne concerne pas seulement notre salut spirituel, elle s'étend à notre être tout entier. Un jour, nous aurons un nouveau corps parfait. Dans cette vie, la perfection est impossible à atteindre. Et lorsque Dieu guérit miraculeusement aujourd'hui, il nous donne un aperçu de l'avenir, de la rédemption finale de notre corps *(Romains 8:23)*.

Ne pensez cependant pas que tous ceux pour qui nous prions seront nécessairement guéris. Aucun être humain ne peut non plus éviter la mort, car nos corps se détruisent, et à un certain point, parfois, il vaut mieux préparer une personne à la mort plutôt que prier pour sa guérison. Dans le domaine de la guérison, il est important d'être bien sensible à la direction du Saint-Esprit.

Mais cela ne doit pas nous décourager de prier pour la guérison des gens. Plus nous prions, plus nous verrons des guérisons de nos propres yeux. Ceux qui n'ont pas été guéris parlent généralement de cette bénédiction qu'a été l'intercession en leur faveur par des frères motivés par l'amour et une grande sensibilité. Je me souviens de quelques-uns d'entre nous au collège théologique priant pour un homme qui souffrait du dos. Je ne pense pas qu'il fut guéri, mais il m'a dit plus tard: *"C'est la première fois depuis que je suis au collège que j'ai eu le sentiment qu'on prenait soin de moi"*. Un autre homme m'a dit récemment que bien qu'il n'ait pas été guéri après qu'on ait prié pour lui, cela avait été pour lui une magnifique expérience avec l'Esprit de Dieu, qui a transformé sa vie.

Certains chrétiens reçoivent des dons spéciaux de guérison *(I Corinthiens 12:9)*. Aujourd'hui même, il est possible de trouver quantité de personnes qui ont des dons de guérison extraordinaires. Mais cela ne signifie en rien que nous pouvons leur laisser toute la tâche. La mission à laquelle Jésus nous appelle, celle de la guérison, s'adresse à tout le monde. Exactement comme tous n'ont pas le don d'évangélisation, mais tous sont appelés à parler de Jésus, tous n'ont pas le don de guérison, mais tous sont appelés à prier pour les malades.

Mais comment cela se traduit-il en pratique? Il est vital de se souvenir que ce n'est pas nous qui guérissons, mais Dieu. Il n'est ici question d'aucune technique. Nous devons prier avec amour et simplicité. Jésus était motivé par la compassion *(Marc 1:41; Matthieu 9:36)*. Si nous aimons, nous aurons du respect et de la dignité pour les malades. Si nous croyons que c'est Jésus qui guérit, nous prierons avec simplicité, car ce ne sont pas nos prières, mais c'est la puissance de Dieu qui apporte la guérison.

Je vous propose quelques lignes directrices:

Où avez-vous mal?

Il faut demander à la personne qui veut une prière de guérison ce qui ne va pas et le problème pour lequel elle désire que nous priions.

Quelle est l'origine de la maladie?

Pour une jambe cassée dans un accident de voiture, il est inutile de s'enquérir de l'origine. Mais quelquefois, il peut être bon de demander à Dieu son aide pour découvrir la racine du problème. Un exemple: une femme de notre assemblée avait des maux de dos qui la faisaient souffrir à la hanche gauche. Son sommeil, ses mouvements et son travail s'en ressentaient. Le docteur lui prescrivit des pilules contre l'arthrite. Un soir, elle demanda qu'on prie pour elle. Celle qui priait pour elle dit que le mot "pardon" lui était venu à l'esprit. Après quelques difficultés, la femme pardonna à telle personne qui la troublait continuellement et elle fut partiellement guérie. Elle le fut totalement le jour où elle envoya une lettre de pardon à son amie.

Comment prier?

Tous les modèles du Nouveau Testament que nous suivons sont des prières simples. Il faut prier une fois pour que Dieu guérisse dans le nom de Jésus et demander que le Saint-Esprit vienne sur cette personne. Une autre fois, la prière sera accompagnée d'onction d'huile *(Jacques 5:14)*. Elle sera plus souvent accompagnée de l'imposition des mains *(Luc 4:40)*.

Que ressent le malade?

Après avoir prié, nous pouvons demander au malade ce qu'il ressent. Parfois ils ne ressentent rien, et dans ce cas, nous pouvons continuer à prier. A d'autres occasions, il ressent sa guérison, mais cela ne signifie encore rien. A d'autres moments encore, le malade se sent mieux, quoiqu'il ne soit pas totalement guéri, et dans ce cas, nous pouvons continuer, comme Jésus l'a fait avec l'homme aveugle *(Marc 8:22-25)*. Nous pouvons prier jusqu'à ce nous jugions qu'il est temps d'arrêter.

Et ensuite?

Après la prière de guérison, il est important d'assurer le malade que Dieu l'aime, qu'il soit guéri ou non et de lui donner la liberté de nous rappeler pour que l'on prie à nouveau pour lui. Il faut éviter de le charger de soucis, en disant par exemple que s'il n'est pas guéri, c'est à cause de son manque de foi. Nous devons toujours encourager le malade à continuer de prier pour qu'il s'assure que sa vie est bien enracinée dans la communauté de l'église de ceux qui prient pour les malades en général, où l'on voit le plus souvent les guérisons à long terme.

Finalement, il est capital de persévérer. Le découragement est facile, surtout quand il n'y a pas de résultat flagrant et immédiat. Il nous faut continuer à cause de notre obéissance à l'appel et à la mission de Jésus-Christ, qui nous demande de prêcher le royaume et de manifester sa venue, notamment par la guérison des malades. Si nous persévérons année après année, nous verrons Dieu agir.

On m'a un jour demandé de faire une visite à l'hôpital. La femme que j'allais voir avait la trentaine, elle était mère de trois enfants et en attendait un quatrième. Son concubin l'avait quittée, elle était seule. Son troisième enfant était trisomique et souffrait d'un trou au coeur. Il avait été opéré, mais comme l'opération n'avait pas réussi, l'équipe médicale voulait débrancher les machines, ce que l'on peut comprendre. Trois fois déjà on avait demandé à la mère la permission de les débrancher et de laisser l'enfant mourir. Elle avait refusé, car, disait-elle, *"je désire essayer une dernière chose"*. Elle voulait que quelqu'un prie pour lui. Je fis donc cette visite pendant laquelle la femme me dit qu'elle ne croyait pas en Dieu; cela ne l'empêchait pas de me montrer son fils. Il était entouré de tubes, son corps était rempli de contusions et gonflé. Elle me dit aussi que d'après les médecins, même si le bébé recouvrait la santé, son cerveau serait atteint, et cela, à cause du coeur qui s'était arrêté de battre pendant un temps très long. *"Voudriez-vous prier?"* me demanda-t-elle. Et je priai au nom de Jésus afin qu'il le guérisse. J'expliquai à la maman qu'elle pouvait donner sa vie à Jésus-Christ et cette femme se convertit. Je la quittai et deux jours plus tard, je retournai la voir. Dès qu'elle me vit, elle se précipita vers moi en disant: *"J'ai essayé de vous trouver: une chose incroyable s'est passée. Pendant la nuit après votre prière, tout a changé, il s'est rétabli"*. Quelques jours plus tard à peine, il était de retour à la maison. J'ai essayé de garder le contact avec elle, mais je ne savais pas où elle vivait, quoiqu'elle me laissait régulièrement des messages sur le répondeur. Six mois plus tard, j'étais dans l'ascenseur d'un autre hôpital avec une mère et son enfant, que je ne reconnus pas tout de suite. *"Etes-vous Nicky?"* me dit la femme. *"Oui"*, lui répondis-je. *"Voilà le petit garçon pour qui vous avez prié. C'est incroyable! Non seulement il s'est rétabli de l'opération, mais son ouïe, très mauvaise auparavant, va mieux. Il est toujours trisomique, mais il va beaucoup mieux."*

Depuis lors, j'ai présidé deux cérémonies de funérailles pour des membres de cette famille. A ces deux occasions, des personnes non pratiquantes se sont avancées pour me dire: *"Vous êtes la personne qui a prié pour Craig, que Dieu a guéri"*. Elles croyaient toutes que c'était Dieu qui l'avait guéri, car elles savaient que Craig était en train de mourir. Le changement qui s'est opéré dans Vivianne, la mère de l'enfant, les avait aussi fort impressionnées. Sa conversion l'a transformée et elle a décidé de se marier avec la personne avec qui elle vivait. Son concubin était revenu après avoir vu combien elle avait changé. Ils sont maintenant mariés et elle n'est plus du tout la même. A l'occasion du mariage, Vivianne est allée chez tous les membres de sa famille et chez ses amis en disant: *"Je ne croyais pas, mais maintenant, je crois"*. Peu de temps après, l'oncle de Craig et sa tante sont venus à l'église, se sont assis devant et ont donné leur vie à Jésus-Christ. Ils l'ont fait, car ils savaient que c'était la puissance guérissante de Dieu dont ils avaient été témoins.

14
Q'EN EST-IL DE L'EGLISE?

ABRAHAM LINCOLN A DIT UN JOUR: *"SI ON ÉTENDAIT PAR TERRE BOUT À BOUT tous les gens qui s'endorment au culte le dimanche matin,... ils seraient dans une position beaucoup plus confortable"*. Fesses douloureuses, mélodies inchantables, silence forcé et indicible ennui, voilà le portrait piteux et très incomplet d'un service religieux. Le subir est une expérience qui demande un effort stoïque, jusqu'à ce que des odeurs culinaires viennent réjouir quelque peu la perspective de la journée. Un pasteur se promenait un jour en compagnie d'un petit garçon autour de son église. Quand ils arrivèrent aux monuments commémoratifs, le pasteur expliqua à l'enfant que les noms inscrits désignaient ceux qui étaient morts au service de l'église. Le garçon demanda: *"Au service du matin ou du soir?"*

Certains confondent "Eglise" et "clergé". Celui qui se fait ordonner "entre dans l'Eglise". Ceux qui embrassent une carrière ecclésiastique sont l'objet de la méfiance générale; on pense d'eux qu'ils sont incapables de faire quoi que ce soit d'autre. J'ai ainsi lu un jour une annonce dans un journal religieux qui disait ceci: *"Vous avez 45 ans et ne savez où aller? Pourquoi ne pas envisager un ministère chrétien?"* Pour le commun des mortels, l'emploi du temps de celui qui embrasse la carrière ecclésiastique se résume à être *"six jours invisible et un jour incompréhensible!"*

Pour d'autres, "l'Eglise" désigne seulement telle ou telle dénomination: église évangélique libre, église catholique romaine, église baptiste, église méthodiste, église orthodoxe. Certains croient que l'Eglise est un bâtiment. Ils pensent qu'un membre du clergé s'intéresse nécessairement à l'architecture des églises; ce qui fait que, lorsqu' ils sont en vacances, ils envoient au pasteur une carte postale du bâtiment religieux du coin. J'ai entendu parler d'un pasteur qui implorait ses fidèles de ne pas lui envoyer de cartes postales, car, disait-il, *"l'architecture ne m'intéresse pas!"*

Etes-vous de ceux qui, entre "visiter grand-tante une telle" et "préparer le gâteau pour la fête du village", inscrivent "Eglise" sur la liste de leurs obligations annuelles? Une chansonnette rend bien la pensée de certaines personnes:

> Je me dois,
>
> Après tout à l'Eglise,
>
> Car sur le ciel je mise;
>
> Oui je veux que Dieu dise:
>
> "Ah!, c'est toi!"

Certaines de ces vues se justifient quelque peu. Cependant, beaucoup de chrétiens cherchent à se défaire de ce piètre portrait de l'Eglise, tant il est loin de celui que dépeint le Nouveau Testament. Heureusement beaucoup d'églises proposent au visiteur l'expérience d'une famille chrétienne fort chaleureuse et orientée vers les besoins extérieurs, qui se rapproche bien de l'idéal biblique. Le Nouveau Testament donne plus de cent images ou analogies pour définir l'Eglise et, dans ce chapitre, je voudrais en citer cinq qui sont capitales pour une bonne compréhension de ce qu'est l'Eglise.

Le peuple de Dieu

L'Eglise, ce sont des hommes et des femmes. Le mot grec *ekklesia* signifie "une assemblée" ou "un rassemblement de gens". Le Nouveau Testament se réfère parfois à l'Eglise universelle *(ex. Ephésiens 3:10,21; 5:23,25,27,29,32)*. Cette Eglise universelle est constituée de tous ceux qui professent le nom de Christ.

Le baptême est le signe visible de cette appartenance et de ce que signifie être chrétien. Le baptême symboblise que l'on a été lavé du péché *(I Corinthiens 6:11)*, que l'on est mort et ressuscité avec Christ *(Romains 6:3-5; Colossiens 2:12)* et que l'on a reçu l'eau vivante que le Saint-Esprit apporte à nos vies *(I Corinthiens 12:13)*. Jésus lui-même a commandé à ses disciples d'aller et de faire des disciples, et de les baptiser *(Matthieu 28:19)*.

L'Eglise universelle est vaste. D'après l'*Encyclopaedia Britannica*, elle compte presque 1 700 000 000 de personnes réparties dans 254 pays (soit, 32,9 % de la population mondiale). Dans beaucoup de parties du monde soumises à des régimes extrémistes et oppressifs, l'Eglise est persécutée. Dans ces régions-là, elle est en grande partie clandestine, mais semble-t-il, très forte. Dans le tiers monde, elle progresse rapidement. Dans certains pays, comme au Kenya, on pense que 80 % de la population confesse la foi chrétienne. Mais dans le monde libre, l'Eglise décline. D'après *Le Guide de l'Eglise en Grande-Bretagne (The UK Christian Handbook)*, l'Eglise chrétienne en Grande-Bretagne a perdu un demi-million de membres entre 1980 et 1985. Il fut un temps où c'était l'Occident qui envoyait des missionnaires au tiers-monde. Lorsque j'étais à Cambridge, trois missionnaires ougandais y étaient venus pour prêcher l'Evangile. Je fus frappé à l'époque de voir combien le monde avait changé pendant les 150 dernières années, et que l'Angleterre était une terre missionnaire comme n'importe quelle autre.

Dans le Nouveau Testament, Paul parle des églises locales, par exemple les *"églises de la Galatie" (I Corinthiens 16:1), "les églises de la province d'Asie" (I Corinthiens 16:19)* et *"toutes les églises de Christ" (Romains 16:16)*. Même ces églises locales semblent s'être de temps en temps divisées en plus petites réunions de maisons *(Romains 16:5; I Corinthiens 16:19)*.

En fait, le Nouveau Testament semble parler de trois types de rassemblements: un grand, un moyen et un petit. Ceux qui ont écrit sur la croissance de l'Eglise parlent parfois d'une triple structure: les grandes réunions, l'assemblée et la cellule. Toutes trois sont importantes et se complètent.

Les grandes réunions rassemblent un grand nombre de chrétiens. Les grandes églises les expérimenteront chaque dimanche, alors que les petites églises, seulement quand elles se rassemblent à plusieurs pour l'adoration. Dans l'Ancien Testament, le peuple de Dieu se réunissait en vue d'occasions spéciales dans une atmosphère de fête pour la Pâque, la Pentecôte ou le Nouvel An. Aujourd'hui, les grands rassemblements chrétiens sont propices à l'inspiration. Grâce à eux, des chrétiens reçoivent une nouvelle vision de la grandeur de Dieu et expérimentent le sens profond de la louange. Ces grands rassemblements de centaines de chrétiens peuvent restaurer la confiance chez ceux qui se sont sentis isolés et leur permettent de voir la réalité de l'Eglise. Ils ne suffisent cependant pas, car ils ne favorisent pas vraiment le développement de liens d'amitié chrétienne.

L'assemblée est, ici, un rassemblement de taille moyenne. Cette dimension moyenne permet l'épanouissement de relations durables. C'est également là que les dons et les ministères de l'Esprit peuvent s'exercer dans une atmosphère d'amour et de tolérance, où l'on se sentira libre de prendre le risque de faire des erreurs. Dans notre église, nous organisons des groupes de 12 à 80 personnes en milieu de semaine où l'on peut par exemple donner des conférences, diriger un temps d'adoration, prier pour les malades, développer le don de prophétie et apprendre à prier à voix haute.

Le troisième type de rassemblement est la cellule ou le mini-groupe. De 2 à 12 personnes se rassemblent pour étudier la Bible et prier ensemble. C'est dans ces groupes que les amitiés les plus intimes se développent. On s'y confie, sans craindre le commérage, on y partage les problèmes personnels et on y apprend à écouter et à se laisser instruire.

La famille de Dieu

Quand nous recevons Jésus-Christ, nous devenons enfants de Dieu (Jean 1:12). De là vient l'unité de l'Eglise. Nous avons Dieu pour Père, Jésus-Christ pour Sauveur et le Saint-Esprit pour hôte. Nous appartenons tous à une famille. Des frères et des soeurs peuvent se chamailler, se brouiller ou ne plus se voir pendant longtemps, ils n'en demeurent pas moins frères et soeurs. Rien ne détruit cette relation. Ainsi, l'Eglise est une, même si elle paraît divisée.

Cela ne signifie pas que la division doit être acceptée. Jésus a prié pour ses disciples *"pour qu'ils soient un" (Jean 17:11)*. Paul dit: Efforcez-vous *"de conserver l'unité de l'Esprit" (Ephésiens 4:3)*. Comme une famille divisée, nous devons rechercher activement la réconciliation. Cette unité invisible de corps tangibles, il lui faut bien une expression visible. Bien sûr, cette unité ne doit pas porter atteinte à la vérité. Et comme le dit exactement l'écrivain médiéval Rupertus Meldenius: *"Sur les points essentiels, unité; sur les points contestables, liberté; en tout, de l'amour."*

Nous devons rechercher l'unité à tous les niveaux: dans les mini-groupes, dans les assemblées et dans les grandes réunions; au sein de notre confession et au-delà les confessions. Cette unité se réalise par les rassemblements de théologiens et de responsables d'églises qui se réunissent autour de débats et qui essayent de résoudre leurs différences théologiques. Mais elle se réalise également, beaucoup plus efficacement, par ces chrétiens ordinaires qui se réunissent pour adorer et travailler ensemble. Plus nous sommes proches du Christ, plus nous sommes proches des autres. David Watson a utilisé une illustration frappante. Il a dit:

Quand nous voyageons en avion, au moment où l'avion décolle, les grands murs et les impressionnantes barrières deviennent brusquement insignifiantes. De la même manière, nous sommes conscients que le Saint-Esprit nous élève ensemble dans la présence de Jésus de sorte que les barrières entre nous deviennent négligeables. Assis avec Christ dans les lieux célestes, les différences entre chrétiens semblent souvent bien petites et marginales.[56]

Puisque nous avons le même Père, nous sommes des frères et soeurs appelés à nous aimer les uns les autres. Jean le dit très clairement:

"Si quelqu'un dit: J'aime Dieu, et qu'il haïsse son frère, c'est un menteur; car celui qui n'aime pas son frère qu'il voit, comment peut-il aimer Dieu qu'il ne voit pas ? Et nous avons de lui ce commandement: que celui qui aime Dieu aime aussi son frère. Quiconque croit que Jésus est le Christ, est né de Dieu, et quiconque aime celui qui l'a engendré aime aussi celui qui est né de lui" (I Jean 4:20-5.1).

Le confesseur du Pape, le Père Raniero Cantalamessa, adressant un jour la parole à plusieurs milliers de personnes de différentes confessions, a dit: *"Quand les chrétiens se querellent, nous disons à Dieu: Choisis entre eux et nous"*. Mais le Père aime tous ses enfants. Nous devrions dire, au contraire: *"Nous acceptons de nommer frères tous ceux que tu acceptes comme tes enfants."*

Nous sommes appelés à être en relation les uns avec les autres. Le mot grec *koinonia* signifie "avoir en commun" ou "partager". C'est le mot utilisé dans la relation de mariage, la relation humaine la plus intime. Notre relation est avec le Père (Père, Fils et Saint-Esprit - *I Jean 1:3; II Corinthiens 13:14*) et l'un avec l'autre *(I Jean 1:7)*. La relation chrétienne dépasse les races, les couleurs, l'éducation, le contexte familial et toute autre barrière culturelle. La qualité de l'amitié chrétienne est incomparable.

John Wesley a dit: *"Le Nouveau Testament ne parle jamais d'une religion en solitaire"*. Nous sommes appelés à être en relation avec les autres. Il existe deux choses que l'on ne peut faire seuls par nous-mêmes: se marier et être chrétien. Le professeur C.E.B. Cranfield l'a rendu de cette manière: *"Le chrétien indépendant, chrétien, mais trop supérieur aux autres pour appartenir à l'Eglise visible sur terre, est en contradiction avec ce qu'il professe."*

Voici en quels termes l'auteur de l'épître aux Hébreux s'adresse à ses lecteurs: "Veillons les uns sur les autres, pour nous exciter à la charité et aux bonnes oeuvres. N'abandonnons pas notre assemblée, comme c'est la coutume de quelques-uns; mais exhortons-nous réciproquement, et cela d'autant plus que vous voyez s'approcher le jour" *(Hébreux 10:24-25)*. Il arrive souvent que des chrétiens perdent leur amour pour le Seigneur et leur enthousiasme, parce qu'ils ont négligé la communion fraternelle.

Un jour, un homme (qui correspondait justement à la description donnée dans la phrase précédente), reçut la visite d'un chrétien âgé et rempli de sagesse. Ils étaient tous deux assis devant le foyer de la cheminée. Sans dire un mot, le vieil homme y alla chercher un charbon incandescent, qu'il déposa sur la pierre froide. En quelques minutes le charbon avait perdu toute son incandescence. Toujours sans rien dire, le vieil homme le replaça dans le feu, où le charbon redevint vite brûlant. Après cette démonstration sans parole, au moment où le vieil homme s'apprêtait à partir, l'hôte comprit pourquoi il avait perdu sa ferveur: un chrétien sans communion fraternelle est comme un charbon que l'on sort du feu.

Le corps de Christ

Jusqu'à ce qu'il rencontre Jésus-Christ sur la route de Damas, Paul persécutait l'Eglise chrétienne. Jésus lui a dit: *"Saul, Saul, pourquoi **me** persécutes-tu?"* *(Actes 9:4, gras rajouté)*. Comme Paul n'avait jamais rencontré Jésus: il a dû comprendre ce jour-là que ce dernier voulait dire qu'en persécutant les chrétiens, il persécutait Jésus en personne. Il se peut fort bien que de cette rencontre, Paul ait découvert que l'Eglise est en fait le corps du Christ. *"Il appelle l'Eglise Christ"*, a écrit le réformateur du XVIe siècle, Jean Calvin. Nous sommes Christ pour le monde, nous chrétiens. Comme le dit un vieil hymne anglais:

Nous sommes ses mains

Pour accomplir son ouvrage;

Nous sommes ses pieds

Pour diriger les hommes sur son sentier;

Nous sommes sa voix

Pour dire aux hommes sa mort;

Nous sommes son aide

Pour les placer de son côté.

Paul développe cette analogie dans I Corinthiens 12. Le corps est un (v. 12), mais cette unité n'équivaut pas uniformité. "Ceux qui sont membres les uns des autres deviennent aussi différents que la main l'est de l'oreille. Voilà pourquoi l'unité chez les gens du monde est si monotone comparé à la variété presque fantastique qui existe parmi les saints. L'obéissance conduit à la liberté, l'humilité au plaisir et l'unité à l'épanouissement de la personnalité".[57] Il y a plusieurs parties, différents dons, et différentes "façons d'opérer" (v. 4-6).

Quelle doit donc être notre attitude envers les autres parties du corps de Christ?

Paul parle de deux attitudes mauvaises. Il parle d'abord de ceux qui se sentent inférieurs; de ceux qui pensent qu'ils n'ont rien à offrir. Par exemple, Paul dit que le pied pourrait se sentir inférieur par rapport à la main, ou l'oreille par rapport à l'oeil (v.14-19). Jean Chrysostome, prédicateur du quatrième siècle, a fait un bon commentaire quand il dit: *"Nous sommes enclins à envier les autres"*.

Il est certes facile en observant l'Eglise, de se sentir inférieur et donc inutile; très vite cela rend oisif. Mais le fait est que nous sommes tous utiles. C'est à 'chacun' que Dieu a donné un don *(v. 7)*. Le mot "chacun" revient régulièrement dans *I Corinthiens 12*. Chaque personne a reçu au moins un don absolument nécessaire pour le bon fonctionnement du corps. A moins que chacun de nous joue le rôle que Dieu nous a assigné, l'Eglise ne pourra pas fonctionner comme elle le devrait. Dans les versets suivants, Paul se tourne ensuite vers ceux qui se sentent supérieurs *(v. 21-25)*, vers ceux qui disent à d'autres: "Je n'ai pas besoin de toi". Cette pensée est une folie, selon Paul. Un corps sans pied perd de son efficacité *(voir v. 21)*. Et bien souvent, ce sont les parties invisibles qui sont les plus importantes.

La bonne attitude est celle qui consiste à reconnaître que nous faisons tous partie du corps. Nous sommes les membres d'une équipe, et ce que chacun fait affecte l'ensemble. Depuis Platon jusqu'à nos jours, le *"Je"* est la personnalité qui donne l'unité au corps. Nous ne disons pas: *"Ma tête a mal"* mais *"J'ai mal à la tête"*. Ainsi en est-il du corps de Christ. *"Et si un membre souffre, tous les membres souffrent avec lui; si un membre est honoré, tous les membres se réjouissent avec lui"* (v. 26).

Tout chrétien est une partie de l'Eglise. Laissez-moi vous illustrer ce fait par une anecdote. Après le culte, un jeune homme en détresse vint un jour vers John Wimber pour lui dire sa frustration d'avoir essayé en vain d'obtenir l'assistance de son église. Ce jeune avait rencontré un homme qui demandait beaucoup d'aide. *"Il avait besoin d'un lieu de séjour, de nourriture et de soutien pendant sa convalescence et aussi longtemps qu'il chercherait un travail. Je suis vraiment frustré. J'ai téléphoné au bureau de l'église, mais personne ne pouvait me recevoir et même m'aider. Finalement, c'est chez moi qu'il est resté pendant une semaine! Ne pensez-vous pas que c'est l'église qui doit s'occuper de telles personnes?"* Après quelques instants de réflexion, John Wimber lui a répondu: *"Eh bien, il semblerait que l'église l'ait fait."*

Comme nous l'avons vu au chapitre 8, pendant des années, le problème de l'Eglise a été d'être centrée soit sur la chaire, soit sur l'autel (c'était selon les traditions). Dans les deux cas, le rôle principal a été joué par le pasteur ou le prêtre. Commentant le succès foudroyant des églises pentecôtistes en Amérique du Sud, Michael Green pense qu'il est dû *"à plusieurs facteurs, le moindre n'étant pas le fait que ce sont, en grande partie, des églises où le rôle des laïcs est prédominant".* [56]

Un saint temple

Le seul bâtiment ecclésiastique dont parle le Nouveau Testament est un bâtiment vivant. Paul dit en effet que les chrétiens sont *"édifiés pour être une habitation de Dieu dans l'Esprit" (Ephésiens 2:22)* dont Jésus est la pierre angulaire. C'est lui qui a fondé l'Eglise et c'est autour de lui qu'elle s'édifie. Les fondations en sont "les apôtres et les prophètes" et le résultat final est un saint temple fait de "pierres vivantes".

Dans l'Ancien Testament, le tabernacle (et, plus tard, le temple), était central. C'était là que le peuple venait pour rencontrer Dieu. De temps à autre, sa présence remplissait le temple *(I Rois 8:11)* et particulièrement le Saint des Saints. L'accès en sa présence était strictement limité *(voir Hébreux 9).*

Par sa mort sur la croix, Jésus nous a ouvert l'accès auprès du Père en tout temps. Sa présence n'est plus confinée au temple physique; il est présent par son Esprit en tout lieu. Sa présence se fait particulièrement sentir quand les chrétiens se rencontrent *(Matthieu 18:20).* Son nouveau temple est l'Eglise, qui est "une habitation de Dieu dans l'Esprit".

Dans l'ancienne alliance (avant Jésus), l'accès auprès du Père se faisait par l'intermédiaire d'un prêtre *(mot grec hiereus - Hébreux 4:14)*, qui offrait des sacrifices pour les croyants. Maintenant Jésus, notre grand prêtre *(hiereus),* a fait le sacrifice suprême de sa propre vie pour nous. Sacrifices et prêtres sont devenus caducs. La seule autre occurrence du mot *hiereus* dans le Nouveau Testament se trouve dans ce passage où il est dit que les chrétiens sont un *"sacerdoce royal" (I Pierre 2:9).* C'est ce que les

Réformateurs appellent "le sacerdoce universel". Tous les chrétiens sont des prêtres dans le sens où ils ont tous accès à Dieu; nous pouvons tous représenter les hommes devant Dieu en priant pour eux et nous représentons tous Dieu devant les hommes dans notre milieu.

Le mot "prêtre" a aussi un autre sens. Le mot grec qui lui a donné naissance, *presbuteros,* signifie vieillard, ancien. Un prêtre désigne aussi un responsable d'église. Dans ce sens-là, il existe encore des prêtres. Chaque chrétien est un prêtre *(hiereus)* et chaque prêtre *(presbuteros)* est un laïc en ce sens que lui comme nous tous faisons partie du peuple de Dieu.

Les prêtres-sacrificateurs ne sont plus d'aucune utilité aujourd'hui, car les sacrifices ne servent plus à rien. Jésus, *"à la fin des siècles, a paru une seule fois pour abolir le péché par son sacrifice" (Hébreux 9:26).* Il faut plutôt que nous nous souvenions constamment de son sacrifice pour nous. A la sainte cène, appelée aussi le souper du Seigneur ou l'eucharistie, nous nous souvenons avec reconnaissance de son sacrifice, tout en jouissant des bénéfices de sa mort.

En recevant le pain et le vin, nous accomplissons quatre actions:

Nous nous souvenons avec reconnaissance

Le pain et le vin nous rappellent le corps brisé de Jésus-Christ et son sang versé sur la croix. En recevant la communion, nous contemplons la croix avec reconnaissance, cette croix où il est mort pour nous, pour que nos péchés soient pardonnés et notre culpabilité enlevée *(Matthieu 26:26-28).*

Nous anticipons

Quoiqu'il aurait pu le faire par un autre moyen, Jésus a préféré que nous nous souvenions de sa mort par un repas. Un repas est souvent une manière de célébrer de grands événements. Un jour, au ciel, nous aurons un grand repas, le festin des noces de l'Agneau de Jésus-Christ *(Apocalypse 19:9).* Le pain et le vin ne sont qu'un avant-goût de tout cela *(Luc 22:16; 1 Corinthiens 11:26).*

Nous renforçons nos liens

Boire dans la même coupe et manger d'un seul pain symbolisent notre unité en Christ. *"Puisqu'il y a un seul pain, nous qui sommes plusieurs, nous participons tous à un même pain" (1 Corinthiens 10:17).* Voilà pourquoi nous ne recevons pas le pain en solitaire, mais bien en présence

171

de chaque frère et de chaque soeur pour qui Christ est mort. Cette manière d'agir renforce notre unité.

Nous croyons à sa promesse

Le pain et le vin représentent le corps et le sang de Jésus. Jésus a promis d'être avec nous par son Esprit après sa mort, et surtout là où des chrétiens s'assemblent: *"Car là où deux ou trois sont assemblés en mon nom, je suis au milieu d'eux" (Matthieu 18:20)*. C'est ainsi que pendant le moment de sainte cène, nous croyons à sa promesse d'être au milieu de nous. Et nous pouvons dire par expérience que pendant ces moments, il y a parfois eu des conversions, des guérisons, et la présence du Christ s'est parfois puissamment manifestée.

La fiancée de Christ

Existe-t-il plus belle appellation pour l'Eglise? Nous la trouvons dans le Nouveau Testament; Paul dit, en parlant de la relation entre le mari et sa femme: *"Ce mystère est grand; je dis cela par rapport à Christ et à l'Eglise" (Ephésiens 5:32)*. De même que l'Ancien Testament parle de Dieu comme étant le *"mari"* du peuple d'Israël *(Esaïe 54:1-8)*, le Nouveau Testament parle de Christ comme étant le mari de l'Eglise et ce couple est le modèle de toute relation maritale. C'est ainsi que Paul dit aux maris d'aimer leur femme *"comme Christ a aimé l'Eglise, et s'est livré lui-même pour elle, afin de la sanctifier, après l'avoir purifiée par l'eau et la parole, afin de faire paraître devant lui cette Eglise glorieuse, sans tache, ni ride, ni rien de semblable, mais sainte et irrépréhensible" (Éphésiens 5:25-27)*.

Ce portrait d'une Eglise sainte et radieuse ne correspond peut-être pas à la condition présente de l'Eglise, et nous avons là un petit aperçu du dessein que Dieu a pour elle. Un jour, Jésus reviendra en gloire, et dans le livre de l'Apocalypse, nous pouvons voir que Jean a eu une vision de cette Eglise: *"je vis descendre du ciel, d'auprès de Dieu, la ville sainte, la nouvelle Jérusalem, préparée comme une épouse qui s'est parée pour son époux" (Apocalypse 21:2)*. Aujourd'hui, l'Eglise est petite et faible, mais un jour, nous verrons l'Eglise telle que Jésus l'a voulue. Entre temps, efforçons-nous de rendre notre Eglise semblable à celle de cette vision.

A l'amour de Christ pour nous, répondons par notre amour pour lui. Lui montrer notre amour, c'est vivre de façon sainte et pure, être sa fiancée et remplir notre fonction. Voilà ce qu'il attend de nous. C'est ainsi que sa volonté pour nous s'accomplira. Il faut se laisser transformer, embellir, jusqu'à ce que nous soyons prêts à être son épouse.

De plus, Pierre dit: *"Vous êtes une nation sainte... afin que vous annonciez les vertus de celui qui vous a appelés des ténèbres à son admirable lumière" (I Pierre 2:9).* Annoncer les vertus entraîne l'adoration et le témoignage. L'adoration est l'expression de notre amour et de notre respect pour Dieu avec tout notre être, le coeur, l'esprit et le corps. Voilà pourquoi nous avons été créés. Le catéchisme de Westminster l'exprime de la façon suivante: *"La finalité de tout homme est de glorifier Dieu et d'en faire sa joie à jamais."*

Aimer les autres est notre témoignage. Dieu nous a appelés à partager la Bonne Nouvelle aux autres et à les attirer à l'Eglise. Les vérités éternelles doivent s'exprimer d'une manière contemporaine. Dieu ne change pas; pas plus que l'Evangile. Ne sacrifions pas la doctrine ou le message sur l'autel de la mode. Mais notre manière d'adorer et les modes de communication doivent attirer l'homme moderne. Pour beaucoup, cela signifie l'utilisation de musique moderne et d'un langage contemporain.

Si l'Eglise était plus proche de l'idéal du Nouveau Testament, les services religieux seraient loin d'être ennuyeux et soporifiques; au contraire, ils deviendraient passionnants; et c'est parfois le cas. L'Eglise est faite d'hommes et de femmes qui appartiennent à Dieu, liés par des liens familiaux d'amour et dont le but est de représenter Christ aux yeux du monde. Christ habite au sein de l'Eglise, ses membres aiment leur Seigneur comme une fiancée aime son futur mari et ils sont passionnément aimés par le fiancé à leur tour. Bref, c'est le ciel (sur terre)!

Un jeune couple récemment converti, m'a un jour écrit ceci:

Voilà un an que nous fréquentons l'Eglise. Nous nous y sentons comme chez nous. L'atmosphère d'amour, d'amitié et de joie est unique. Une soirée au café, à une fête ou au restaurant ne saurait se comparer à l'Eglise... cela me frappe chaque fois, même si j'aime toujours ces sorties-là. Tous deux nous trouvons que les cultes du dimanche et les rassemblements du mercredi sont deux points forts de notre semaine. Parfois, j'ai le sentiment d'avoir besoin d'air, surtout aux alentours du mercredi, quand il est si facile de se laisser étouffer par la vie professionnelle! Si nous manquons le dimanche ou le mercredi, nous nous sentons comme "dilués". Bien sûr, il y a la relation personnelle avec Dieu, mais le fait de se retrouver ensemble agit comme un soufflet qui attise les flammes de notre foi.

15

COMMENT TIRER LE MEILLEUR PARTI DU RESTE DE SA VIE?

ON N'A QU'UNE VIE. PEUT-ÊTRE VOUDRIEZ-VOUS PLUS, COMME D.H. LAWRENCE, qui a dit: *"Si seulement on avait deux vies: l'une pour commettre ses erreurs... et l'autre pour prouver qu'on a compris"*. Seulement voilà, dans la vie, il n'y a pas de répétition générale; c'est toujours soir de première.

Même si notre vie a été jalonnée de fautes, il est encore possible, avec l'aide de Dieu, d'en tirer de bonnes choses. Paul nous dit dans *Romains 12:1-2* comment procéder:

"Je vous exhorte donc, frères, par les compassions de Dieu, à offrir vos corps comme un sacrifice vivant, saint, agréable à Dieu, ce qui sera de votre part un culte raisonnable. Ne vous conformez pas au siècle présent, mais soyez transformés par le renouvellement de l'intelligence, afin que vous discerniez quelle est la volonté de Dieu, ce qui est bon, agréable et parfait."

Que devons-nous faire?

"Ne vous conformez pas"

Nous, chrétiens, sommes appelés à être différents. Paul écrit: *"Ne vous conformez pas au siècle présent"* (qui a rejeté Dieu). J.B. Phillips a traduit le verset de la manière suivante: *"Ne laissez pas le monde vous coincer dans son moule"*. Ce n'est pas facile, car on est poussé à se conformer, à ressembler à tout le monde. Etre différent, c'est parfois dur.

On raconte qu'un jeune officier de police, passant son dernier examen, dut résoudre le problème suivant:

Vous êtes en patrouille aux abords de Londres quand vous entendez le bruit d'une explosion de gaz. Vous rendant sur les lieux, vous découvrez un énorme trou dans le trottoir et, non loin, une camionnette retournée par le souffle de l'explosion. De la camionnette se dégage une forte odeur d'alcool, et ses deux occupants - un homme et une femme - sont blessés. Vous reconnaissez la femme: c'est l'épouse de l'inspecteur de votre division qui est actuellement en voyage aux Etats-Unis. Un motard s'arrête pour vous proposer son aide et vous vous apercevez que cet homme est présentement celui qui est recherché pour vol à main armée. Soudain, un homme affolé sort de sa maison en criant que sa femme est enceinte et que le choc de l'explosion provoque un accouchement prématuré. Vous entendez de plus le *"à moi, à moi!"* d'un homme que le souffle de l'explosion a projeté dans un canal tout proche, et qui ne sait pas nager.

Connaissant le contenu de la Loi sur la santé mentale, décrivez en quelques mots la manière dont vous réagiriez.

Après quelques secondes de réflexion, notre candidat officier saisit son stylo et note: *"Je me débarrasse de mon uniforme et je me mêle à la foule."*

On le comprend, n'est-ce pas? En tant que chrétien, il est souvent plus facile de nous défaire de notre uniforme et de nous "mêler à la foule". Mais voilà, nous sommes appelés à nous distinguer du reste des gens, et à garder notre identité chrétienne, où que nous soyons, quelles que soient les circonstances.

Un chrétien est appelé à être une chrysalide plutôt qu'un caméléon. Une chrysalide se transforme en un magnifique papillon, tandis qu'un caméléon a la particularité de changer de couleur: il peut passer du vert au jaune, à la couleur crème ou au brun foncé. Tel environnement, telle couleur. De la même manière, il existe des chrétiens-caméléons, qui se fondent dans leur environnement. Ils sont heureux avec d'autres chrétiens, mais ils sont tout disposés à modifier leurs standards pour se fondre dans un milieu non chrétien. Une légende raconte qu'un caméléon que l'on avait déposé sur un fond de tissus écossais explosa, l'effort ayant été pour lui trop important. Le chrétien-caméléon, trop souvent affairé à s'adapter, ne s'épanouit jamais, comme le fait le chrétien-chrysalide.

Différent ne signifie pas bizarre. Nous ne sommes pas appelés à porter des vêtements démodés ou à utiliser un langage religieux. Nous avons le droit d'être "normaux"! Croire qu'agir comme un chrétien signifie adopter un comportement anormal est un non-sens. Au contraire, une relation avec Dieu par Jésus aide à s'épanouir. Plus nous sommes semblables à Jésus, plus nous devenons "normaux", dans le sens que nous devenons plus pleinement "humain".

En disciples de Jésus, nous devenons libres de rejeter des manières de vivre qui nous détruisent ou détruisent les autres. Cela signifie par exemple, que nous refuserons de porter atteinte aux autres par la calomnie ou la médisance. Cela signifie que nous ne perdrons plus notre temps à grommeler et nous plaindre (si c'était notre habitude). Cela signifie que nous ne nous conformerons plus aux pratiques sexuelles du monde. Tout cela vous paraît-il fort négatif? Qu'il n'en soit pas ainsi! Au lieu de casser de sucre sur le dos des autres, encourageons, édifions et aimons. Au lieu de ronchonner et de nous plaindre, soyons reconnaissants et joyeux. Au lieu de nous adonner à une sexualité débridée, montrons que le respect des lois divines est une source de bénédiction.

Ce dernier exemple sur une manière de vivre différente se révèle ardu pour beaucoup. Dans mon expérience de l'enseignement, le sujet de la moralité sexuelle est celui qui revient presque le plus souvent chez les gens. On me pose le plus souvent ce genre de questions: *Qu'en est-il de la sexualité hors du mariage? Est-ce mauvais? Où lit-on dans la Bible que Dieu l'interdit? Pourquoi est-ce mauvais?"*

La volonté de Dieu est, ici comme ailleurs, de loin meilleure à toute autre. C'est Dieu l'inventeur du mariage et de la sexualité. Quoique quelques-uns le pensent, Dieu n'est pas surpris par nos pratiques en disant: *"Mais que vont-ils encore inventer?"* C.S. Lewis a souligné que le plaisir n'a pas son origine en satan mais en Dieu. La Bible se prononce en faveur de notre sexualité. Dieu nous a créés en tant qu'êtres sexués et nos organes sexuels sont destinés à nous donner du plaisir. L'intimité sexuelle est célébrée dans la Bible. Dans le Cantique des Cantiques, Salomon parle du délice, du contentement et de la satisfaction qu'apporte la sexualité.

Le Créateur de la sexualité nous dit aussi comment la vivre dans le plus grand épanouissement. D'après la Bible, la relation sexuelle ne devrait exister qu'au sein de l'engagement indissoluble d'un homme et une femme mariés ensemble. La doctrine chrétienne est édictée dans *Genèse 2:24* et Jésus la reprend dans *Marc 10:7: "C'est pourquoi, l'homme quittera son père et sa mère et s'attachera à sa femme, et les deux deviendront une seule chair".* Le mariage implique cet acte public de quitter ses parents afin de s'engager pour toute sa vie. Cela signifie que l'on est "uni" à son partenaire - le mot hébreu signifie littéralement "collé" ensemble - pas seulement physiquement et biologiquement, mais aussi émotionnellement, psychologiquement, spirituellement et socialement. C'est cela l'explication chrétienne de l'expression "une seule chair". La doctrine biblique du mariage est la plus passionnante et la plus positive qui existe. Elle est l'expression du plan parfait de Dieu.

Dieu avertit du danger qui consiste à aller au-delà des barrières qu'il a lui-même érigées. Une relation sexuelle n'est jamais un petit incident. Chaque fois, elle implique l'union en *"une seule chair". (I Corinthiens 6:13-20)* Une union brisée blesse de part et d'autre. Si vous collez deux cartes ensemble, et qu'ensuite vous les décollez, vous entendrez le déchirement et vous pourrez voir des petits bouts de papier qui restent sur l'autre carte. De la même manière, devenir "une seule chair" et ensuite se séparer, ne peut que laisser des séquelles. Nous laissons des petits bouts brisés de nous-mêmes. Le monde nous donne un exemple de ce qui se passe quand les lois de Dieu sont ignorées: mariages brisés, coeurs brisés, enfants blessés, maladies vénériennes et vies gâchées. D'un autre côté, les nombreux mariages qui respectent les lois de Dieu montrent que cette manière de vivre n'apporte que des bénédictions au niveau du mariage et de la relation conjugale. Il n'est, bien sûr, jamais trop tard pour changer de manière de vivre. L'amour de Dieu par Jésus pardonne, guérit et restaure. Mais il vaut bien mieux vivre dès le départ selon la volonté de Dieu!

Ne permettons donc pas au monde de nous coincer dans son moule. Montrons autour de nous qu'il existe une bien meilleure manière de vivre. Une lumière qui brille, attire.

"Soyez transformés"

En d'autres termes, soyez comme cette chrysalide qui se transforme en un superbe papillon. Beaucoup ont peur du changement.

Deux chenilles sur une feuille discutaient un jour ensemble. Vint à passer un papillon. L'une se tournant alors vers l'autre, lui dit: *"Tu ne me prendras jamais à me transformer en une chose pareille!"* N'est-ce pas là une belle illustration de notre peur? Nous n'osons pas envisager autre chose que ce que nous connaissons.

Dieu ne nous demande pas de quitter ce qui est bon. Mais il nous demande certainement de nous débarrasser de nos poubelles. Jusqu'à ce que nous le fassions, nous ne pouvons jouir des choses merveilleuses que Dieu a en réserve pour nous. Ecoutez cette histoire vécue: il y avait une femme qui vivait dans les rues environnantes de notre église. Elle mendiait et réagissait toujours agressivement quand on lui refusait de l'argent. Pendant des années, elle vécut ainsi dans les rues, accompagnée d'innombrables sacs en plastique. Le jour où elle mourut, je fus responsable de conduire ses funérailles. Je n'y attendais bien sûr pas beaucoup de monde, ce qui fait que je fus fort surpris d'y voir arriver plusieurs personnes habillées de façon élégante. Je sus plus tard que cette femme avait hérité d'une immense fortune dont un luxueux appartement et plusieurs tableaux de valeur. Mais malgré cela, elle avait choisi de vivre dans les rues avec ses sacs en plastique remplis de saletés. Elle ne voulait absolument pas quitter son style de vie, et de ce fait, n'avait jamais joui de son héritage.

En tant que chrétiens, nous disposons d'un bien plus grand héritage: nous avons hérité de toutes les richesses de Christ. Pour jouir de tous ces trésors, il nous faut quitter la "saleté" de nos vies. Paul nous dit: *"Ayez le mal en horreur"* *(v. 9)*. Voilà ce qu'est la saleté.

Dans les versets qui suivent *(Romains 12:9-21)*, nous avons un aperçu de ces trésors:

"Que la charité soit sans hypocrisie. Ayez le mal en horreur; attachez-vous fortement au bien. Par amour fraternel, soyez pleins d'affection les uns pour les autres; par honneur, usez de prévenances réciproques. Ayez du zèle, et non de la paresse. Soyez fervents d'esprit. Servez le Seigneur. Réjouissez-vous en espérance. Soyez patients dans l'affliction. Persévérez dans la prière. Pourvoyez aux besoins des saints. Exercez l'hospitalité."

"Bénissez ceux qui vous persécutent, bénissez et ne maudissez pas. Réjouissez-vous avec ceux qui se réjouissent; pleurez avec ceux qui pleurent. Ayez les mêmes sentiments les uns envers les autres. N'aspirez pas à ce qui est

179

élevé, mais laissez-vous attirer par ce qui est humble. Ne soyez point sages à vos propres yeux.”

“Ne rendez à personne le mal pour le mal. Recherchez ce qui est bien devant tous les hommes. S'il est possible, autant que cela dépend de vous, soyez en paix avec tous les hommes. Ne vous vengez pas vous-mêmes, bien-aimés, mais laissez agir la colère; car il est écrit: à moi la vengeance, à moi la rétribution, dit le Seigneur. Mais si ton ennemi a faim, donne-lui à manger; s'il a soif, donne-lui à boire; car en agissant ainsi, ce sont des charbons ardents que tu amasseras sur sa tête. Ne te laisse pas vaincre par le mal, mais surmonte le mal par le bien.”

La charité doit être “sans hypocrisie”. Or nous prenons tous des apparences pour nous protéger des autres. C'était certainement mon cas avant ma conversion (et même après, pendant quelques temps, même si cela n'aurait pas dû être). Je me disais: *“Je n'aime pas ma nature profonde. Je vais faire semblant d'être quelqu'un d'autre.”*

Si les autres font la même chose, nous sommes presque à un bal masqué. Les vraies personnes ne se rencontrent jamais. Nous sommes ainsi à l'opposé de cette charité sans hypocrisie. Prenons le risque de nous révéler. Nous savons que Dieu nous aime tels que nous sommes. Dieu nous a libérés pour que nous ôtions nos masques. Cela se traduira par de nouvelles amitiés d'une profondeur sans précédent.

Enthousiasme pour le Seigneur (v. 11)

On entend parfois des réflexions cyniques à propos de l'enthousiasme, mais il n'y a rien de mal à cela. Rien de plus normal que notre relation avec Dieu suscite en nous la joie et l'enthousiasme. Soyez fervents d'esprit: la première expérience du Christ doit durer; l'enthousiasme devrait même augmenter à mesure que l'on avance dans la vie chrétienne.

Relations harmonieuses (v. 13-21)

Paul exhorte les chrétiens à vivre en harmonie les uns avec les autres et à être généreux *(v. 13)*, hospitaliers *(v. 13)*, prompts à pardonner *(v. 14)*, compatissants *(v. 15)*, et il nous exhorte à vivre en paix *(v. 18)*. Voilà la glorieuse image de la famille chrétienne à laquelle Dieu nous appelle. Dieu nous invite à jouir dans une atmosphère d'amour, de joie, de patience, de fidélité, de générosité, d'hospitalité, de bénédiction, de réjouissance, d'harmonie, d'humilité et de paix; il nous invite à vivre dans un monde où ce n'est pas le bien qui est vaincu par le mal, mais où c'est en vérité le mal qui est vaincu par le bien. Nous avons là quelques-uns des trésors qui sont en réserve pour nous quand nous laissons derrière nous notre saleté.

Comment le faire?

"Offrir vos corps ..."

Cela exige un acte de volonté. Paul nous commande d'offrir nos corps comme un sacrifice vivant, saint, agréable à Dieu *(Romains 12:1)*.

Offrons premièrement notre temps, tout notre temps, ce temps qui nous est d'ailleurs si cher. Cela ne signifie cependant pas qu'il nous faille le passer seulement dans la prière et dans l'étude de la Bible, mais plutôt qu'il faut que les priorités de Dieu soient les nôtres.

Il est facile de se tromper de priorités. J'ai un jour lu, dans un journal, une annonce qui m'a fort amusé: *"Agriculteur cherche dame avec tracteur pour compagnie en vue d'un éventuel mariage. Merci d'envoyer photo du tracteur"*. Je ne pense pas que cet agriculteur ait vu juste. Nos priorités doivent être nos relations, et la priorité numéro 1 est notre relation avec Dieu. Il nous faut réserver du temps à part pour lui; il nous faut aussi mettre du temps à part pour les autres chrétiens - les dimanches et peut-être également en milieu de semaine, pour nous encourager mutuellement.

Offrons ensuite nos ambitions au Seigneur, en lui disant: *"Seigneur, je te confie mes ambitions"*. Dieu nous demande de chercher d'abord son royaume et sa justice, et nous promet de prendre soin de nous pour toute autre chose *(Matthieu 6:33)*. Cela ne signifie pas nécessairement que nos anciennes ambitions disparaîtront, mais il se peut qu'elles passent au second plan. Car, en effet, qu'y a-t-il de mal dans le fait de vouloir réussir dans sa vie professionnelle, du moment, bien sûr, qu'en toute chose nous soyons motivés par l'établissement de son royaume et de sa justice et que nous utilisions ce que nous avons pour sa gloire.

Offrons-lui aussi notre *argent* et ce que nous possédons. Le Nouveau Testament n'a rien contre la propriété privée, le fait de gagner de l'argent, d'épargner ou même de jouir des bonnes choses de la vie. L'interdiction frappe l'accumulation égoïste et l'obsession malsaine à vouloir acquérir et se confier dans des choses matérielles. Ce qui semble nous offrir de la sécurité ne fait que nous garder dans une insécurité permanente et nous éloigner de Dieu *(Matthieu 7.9-24)*. *Donnons généreusement;* ce sera là une réponse raisonnable à la générosité de Dieu et aux besoins du monde autour de nous. La générosité est également le meilleur moyen de briser le pouvoir du matérialisme.

Donnons-lui également nos *oreilles* (c'est-à-dire ce que nous écoutons). Arrêtons cette écoute complaisante des commérages et de tout ce qui rabaisse les autres. Exerçons au contraire nos oreilles à écouter ce que Dieu dit dans sa Parole, dans la prière, dans des livres et des cassettes (et j'en passe). Offrons-lui aussi nos *yeux* et ce que nous voyons. Certaines choses que nous regardons peuvent nous nuire, en produisant de la jalousie, de la convoitise et tout autre péché. En revanche, il est des choses qui nous rapprochent de Dieu. Demandons-nous, lorsque nous sommes en contact avec d'autres personnes: *"Comment puis-je lui être en bénédiction?"*

Offrons-lui enfin nos *bouches*. L'apôtre Jacques nous rappelle que la langue est un instrument extrêmement puissant *(Jacques 3:1-12)*. Par la langue, nous détruisons, nous trompons, nous maudissons, nous rapportons, nous nous vantons. Mais nous pouvons aussi utiliser notre langue pour rendre un culte à Dieu et pour nous encourager mutuellement. Parlons aussi de nos *mains*. Nos mains peuvent nous servir ou servir les autres. Quant à la *sexualité,* qu'elle ne soit pas un acte égoïste, mais l'acte par lequel nous recherchons le plaisir et le bien de notre partenaire.

Cet appel à nous offrir entièrement à Dieu n'est pas optionnel; non, Paul a dit: *"Je vous exhorte à offrir vos corps",* c'est-à-dire chacun de nos membres. Le magnifique paradoxe est qu'en donnant tout à Dieu, nous trouvons la liberté. Vivre pour nous-mêmes, c'est de l'esclavage; mais être au service de Dieu, c'est la liberté parfaite.

"... en sacrifice vivant"

C'est un programme coûteux, qui demandera parfois des sacrifices. William Barclay a dit: *"Jésus n'est pas venu pour faciliter la vie, mais pour amener l'homme à grandir".* Préparons-nous à marcher sur le chemin de Dieu, pas sur le nôtre. Soyons disposés à abandonner tout ce que nous savons être mauvais et à remettre en ordre ce qui doit l'être; soyons prêts à porter haut sa bannière dans un monde hostile à la foi chrétienne.

Dans bien des parties du monde, être chrétien, c'est être exposé à des persécutions physiques (emprisonnement ou torture). Plus de chrétiens sont morts pour leur foi dans ce siècle-ci que dans tout autre. Nous qui vivons dans le monde libre, nous sommes privilégiés. Que sont les moqueries et les critiques que nous subissons comparées à la souffrance de l'Eglise persécutée?

Que cela ne nous fasse pas oublier que notre foi entraînera parfois des sacrifices. Par exemple, j'ai un ami qui, à cause de sa conversion, fut déshérité par ses parents. Je connais aussi un couple qui a dû vendre sa maison, car ils sentaient bien qu'en tant que chrétiens, ils devaient faire savoir au fisc qu'ils n'avaient pas été tout à fait honnêtes dans leurs déclarations d'impôts.

J'ai un bon ami qui, avant sa conversion, avait des relations sexuelles avec son amie. S'intéressant à la foi chrétienne, il prit conscience que cette situation ne pourrait durer s'il se convertissait. Il livra bataille contre sa conscience pendant des mois et des mois, mais finalement, ils décidèrent d'un commun accord (car son amie se convertit aussi) de ne plus avoir de relations ensemble. Comme pour plusieurs raisons, ils ne pouvaient pas se permettre un mariage dans les deux ans et demi à venir, ils durent accepter de faire un sacrifice (eux, par contre, ne le voient pas de cette manière). Dieu les a richement bénis en leur accordant un heureux ménage et quatre merveilleux enfants. Mais à l'époque, il y eut un prix à payer.

Pourquoi le faire?

"Sa volonté bonne, agréable et parfaite"

Dieu nous aime et veut le meilleur pour nous. Il veut que nous lui remettions notre vie et que nous discernions *"quelle est la volonté de Dieu, ce qui est bon, agréable et parfait" (Romains 12:2).*

Il m'arrive de croire que l'oeuvre principale du diable est de donner aux gens une fausse image de Dieu. Le mot hébreu mis pour "Satan" signifie "calomniateur". Il calomnie Dieu, disant qu'on ne peut lui faire confiance, disant que Dieu est un rabat-joie qui ne veut que ruiner notre vie.

Combien de fois nous croyons à ces mensonges! Nous pensons que si nous faisons confiance à notre Père qui est dans les cieux, il nous enlèvera toute joie. Imaginez un père humain comme cela. Supposons qu'un de mes fils vienne me dire un jour: *"Papa, je veux te consacrer ma journée pour qu'elle se passe comme tu veux"*. Il est bien entendu que je ne dirai jamais: *"Parfait, c'est ce que j'attendais, tu vas passer toute la journée enfermé dans le placard!"*

Il est absurde de penser que Dieu va nous traiter de façon pire qu'un père humain. Son amour surpasse celui d'un père humain. Sa volonté est bonne, car comme tout père humain, il veut le meilleur pour ses enfants. Sa volonté est agréable, car elle nous plaira et elle lui plaira. Elle est parfaite, car nous ne pourrons pas la perfectionner.

Et il est triste de s'apercevoir que certaines personnes pensent pouvoir faire un peu mieux que Dieu. C'est impossible, et souvent ça se termine dans le chaos.

Un jour, le devoir d'un de mes fils consistait à réaliser une publicité pour un marché d'esclaves au temps des Romains. Après avoir soigneusement tout bien dessiné et bien rédigé, il voulut lui donner une apparence ancienne, vieille de 2 000 ans. Et pour ce faire, on lui avait dit de tenir le papier au-dessus d'une flamme jusqu'à ce que les bords brunissent. Pour un enfant de neuf ans, le travail n'était pas très facile, et ma femme Pippa proposa plusieurs fois de l'aider, sans arriver à le convaincre. *"Je veux le faire tout seul"*, disait-il. Résultat: des cendres, des larmes et un orgueil blessé.

"Je veux diriger moi-même ma vie", entend-on parfois dire. Ces gens ne veulent aucune aide, ils ne veulent pas se confier à Dieu, et cela se termine souvent dans les larmes. Mais Dieu nous donne une seconde chance. Mon fils, lui, a refait son affiche, et cette fois-ci, il a accepté l'aide de sa maman pour cette délicate opération de roussissement. Si nous nous confions à Dieu, il nous montrera sa volonté, sa volonté bonne, agréable et parfaite.

"Par les compassions de Dieu"

Nos petits sacrifices ne sont rien comparés à celui que Dieu a consenti pour nous. C.T. Studd, le capitaine d'une équipe du IXXe siècle qui a abandonné sa richesse et son confort (et son cricket!) pour servir Dieu en Chine, a dit un jour: *"Si Jésus-Christ est Dieu, et s'il est mort pour moi, rien n'est trop dur à faire pour lui"*. C.T. Studd avait les regards fixés sur Jésus. L'auteur de l'épître aux Hébreux nous exhorte par ces paroles: *"Courons avec persévérance dans la carrière qui nous est ouverte, ayant les regards sur Jésus, le chef et le consommateur de la foi, qui, en vue de la joie qui lui était réservée, a souffert la croix, méprisé l'ignominie, et s'est assis à la droite du trône de Dieu" (Hébreux 12:1-2).*

En fixant nos regards sur Jésus, le Fils unique de Dieu, qui *"a souffert la croix"*, nous comprenons l'amour de Dieu. Il est absurde de ne pas lui faire confiance. Si Dieu nous aime à ce point, nous pouvons être sûrs qu'il ne nous privera pas des bonnes choses. Paul a écrit: *"Lui, qui n'a pas épargné son propre Fils, mais qui l'a livré pour nous tous, comment ne nous donnera-t-il pas toutes choses avec lui?" (Romains 8.32).* Nous vivons une vie chrétienne à cause de l'amour du Père; notre modèle, c'est la vie du Fils; et nous pouvons la vivre grâce à la puissance du Saint-Esprit.

Comme Dieu est grand, et quel privilège de pouvoir marcher avec lui, d'être aimé de lui et de le servir! Oui, la vie chrétienne est la meilleure, la plus heureuse, la plus constructive, la plus valorisante, la plus satisfaisante. Seule la vie chrétienne répond aux questions de la vie.

NOTES

1. Ronald Brown (ed), *Bishop's Brew* (Arthur James Ltd, 1989).
2. Avec l'aimable autorisation de Bernard Levin.
3. Id.
4. C.S. Lewis, *Timeless at Heart*, Christian Apologetics (Fount).
5. C.S. Lewis, *Surprised by Joy*, (Fontana, 1955).
6. Bishop Michael Marshall, *Church of England Newspaper*, 9 août 1991.
7. John Martyn, *Church of England Newspaper*, 2 novembre 1990.
8. Josèphe, Antiquités, XVIII 63f. Même si, comme quelques-uns le pensent, le texte a été corrompu, cela n'enlève rien à la preuve donnée par Josèphe de l'existence historique de Jésus.
9. F.J.A. Hort, *The New Testament in the Original Greek*, Vol.1, p.561 (New York: Macmillan Co).
10. Sir Frederic Kenyon, *The Bible and Archaeology* (Harper and Row, 1940).
11. Si vous souhaitez lire davantage sur l'historicité des Evangiles, je recommande la lecture de l'ouvrage de R.T. France intitulé, *The Evidence* for Jesus que vous trouverez à The Jesus Library (Hodder & Stoughton, 1986).
12. C.S. Lewis, *Mere Christianity* (Fount, 1952)*Les Fondements du Christianisme* (Ligue pour la Lecture de la Bible, Avenue Giele, B-1090 Bruxelles).
13. Id.

14. Bernard Ramm, *Protestant Christian Evidence* (Moody Press).

15. Avec l'aimable autorisation de Bernard Levin.

16. Lord Hailsham, *The Door Wherein I Went* (Fount/Collins, 1975).

17. Wilbur Smith, *The Incomparable Book* (Beacon Publications, 1961).

18. Josh McDowell, *La Résurrection* (Editeurs de Littérature Biblique, Chaussée de Tubize, B-1420 Braine l'Alleud).

19. Michael Green, *Evangelism through the Local Church* (Hodder & Stoughton, 1990).

20. Michael Green, *Man Alive* (InterVarsity Press, 1968).

21. C.S. Lewis, *Surprised by Joy* (Fontana, 1955).

22. Bishop J.C. Ryle, *Expository Thoughts on The Gospel*, Vol.III, Jean 1:1-Jean 10:30 (Evangelical Press, 1977).

23. *The Journal of the Lawyers'Christian Fellowship.*

24. John Wimber, *Equipping the Saints* Vol 2, No 2, Printemps 1988 (Vineyard Ministries Int.).

25. Lesslie Newbigin, *Foolishness to the Greeks* (SPCK, 1995)

26. C.S. Lewis, *The Last Battle* (HarperCollins, 1956).

27. John W. Wenham, *Christ and the Bible* (Tyndale: USA, 1972).

28. John Pollock, *Billy Graham: the Authorised Biography* (Hodder & Stoughton, 1966).

29. Bishop Stephen Neill, *The Supremacy of Jesus* (Hodder & Stoughton, 1984).

30. *Family Magazine.*

31. John Stott, *Christian Counter-Culture* (InterVarsity Press, 1978).

32. Cité dans John Stott, *Christian Counter-Culture* (InterVarsity Press, 1978).

33. J.I. Packer, *Knowing God* (Hodder & Stoughton, 1973).

34. "Les saints" est la manière dont le Nouveau Testament parle de tous les chrétiens (ex., Philippiens 1:1).

35. Michael Bourdeaux, *Risen Indeed* (Darton, Longman Todd, 1983).

36. John Eddison, *A Study in Spiritual Power* (Highland, 1982).

37. Id.

38. F.W. Bourne, *Billy Bray: The King's Son* (Epworth Press, 1937).

39. J. Hopkins & J. Richardson (eds.), *Anselm of Canterbury, Proslogion* Vol I (SCM Press, 1974)

40. Malcolm Muggeridge, *Conversion* (Collins, 1988).

41. Richard Wurmbrand, *In God's Underground* (Hodder & Stoughton).

42. Eddie Gibbs, *I Believe in Church Growth* (Hodder & Stoughton).

43. David Watson, *One In The Spirit*, (Hodder & Stoughton).

44. Murray Watts, *Rolling in the Aisles* (Monarch Publications, 1987).

45. Ces dernières années, on a beaucoup discuté pour savoir comment qualifier cette expérience du Saint-Esprit: faut-il la désigner comme étant un 'baptême', un phénomène de 'remplissage', un 'débordement' ou tout autre terme? Il me semble que le Nouveau Testament ne permet pas de savoir quel est le terme correct. Ce qui est clair, c'est qu'il nous faut tous expérimenter la puissance du Saint-Esprit. Je pense personnellement que parler du Saint-Esprit comme de celui qui nous remplit est l'expression la plus fidèle à l'enseignement du Nouveau Testament, c'est pourquoi j'ai utilisé ces termes dans ce chapitre.

46. Martyn Lloyd-Jones, *Romans*, Vol. III (Banner of Truth, 1974).

47. Wimber & Springer (eds), *Riding the Third Wave* (Marshall Pickering).

48. Alan MacDonald, *Films in Close Up*, (Frameworks, 1991).

49. Michael Green, *I Believe in Satan's Downfall* (Hodder & Stoughton, 1981).

50. Jean-Baptiste Vianney

51. C.S. Lewis, *The Screwtape Letters* (Fount, 1942).

52. Michael Green, *I Believe in Satan's Downfall* (Hodder & Stoughton, 1981).

53. C.S. Lewis, *The Great Divorce* (Fount, 1973).

54. J.C. Pollock, *Hudson Taylor and Maria* (Hodder & Stoughton, 1962.

55. Irénaeus, *Against Heresis*, II Ch.XXXII.

56. C.S. Lewis, *Fern Seeds and Elephants* (Fontana, 1975).

57. Michael Green, *Called to Serve* (Hodder & Stoughton, 1964).

GUIDE D'ETUDE

par

David Stone

Le docteur David Stone, pasteur, a préparé les questions suivantes pour que vous compreniez bien le message de Nicky Gumbel et pour vous inciter à mettre en pratique ce que vous y avez appris. Ce guide peut être utilisé individuellement ou par petits groupes.

1

LE CHRISTIANISME: UNE RELIGION FAUSSE, ENNUYEUSE ET DÉMODÉE?

1. Pourquoi les gens perçoivent-ils aujourd'hui le christianisme comme une religion fausse, ennuyeuse et démodée?

2. Dans quelle mesure êtes-vous d'accord avec cette opignion? Pourquoi? Qu'est-ce qui pourrait vous faire changer d'avis?

3. Comment Nicky explique-t-il le sentiment humain de "quelque chose qui manque"? Votre propre expérience vous fait-elle dire la même chose? Expliquez.

4. "Une vie sans relation avec Dieu par Jésus-Christ est comme une télévision sans antenne". Comment réagissez-vous à cette affirmation? Pourquoi?

5. Quelles critiques envers le christianisme Nicky passe-t-il ici en revue? Comment y répondre?

6. Nicky fait une distinction claire entre une acceptation intellectuelle de la vérité et son expérimentation. Pourquoi cette distinction est-elle si capitale dans le christianisme?

7. Un regard honnête sur nous-mêmes (sur nos pensées et nos paroles, sur nos actions et nos motivations) nous fera-t-il encore dire que nous sommes de bonnes personnes?

8. Que signifie "la vie éternelle"? Peut-elle commencer maintenant? Si oui, comment?

2

QUI EST JÉSUS?

1. Comment répondriez-vous à quelqu'un qui affirmerait que devenir chrétien c'est avoir une foi aveugle?

2. Nicky affirme que la preuve néo-testamentaire concernant Jésus est imposante. Qu'en pensez-vous? Pourquoi?

3. Comment réagissez-vous à la déclaration de Billy Connolly: "Je ne peux pas croire aux prétentions du christianisme, mais je crois que Jésus était un homme merveilleux"?

4. Quoique Jésus n'ait jamais prononcé les mots "Je suis Dieu", quelles sont les preuves de sa divinité?

5. Comment mettre à l'épreuve les prétentions directes et indirectes de Jésus d'être le Fils de Dieu?

6. Pourquoi la résurrection physique de Jésus-Christ est-elle "la pierre angulaire du christianisme"? Que faites-vous des preuves en faveur de cet événement?

7. Quelles sont "les trois seules possibilités réalistes" sur l'identité de Jésus? D'après vous, laquelle est juste, pourquoi?

8. Si Jésus est le Fils de Dieu, qu'est-ce que ça implique pour vous?

3

POURQUOI JÉSUS EST-IL MORT?

1. Quel est, selon Nicky, "le plus grand problème de l'homme"? Etes-vous d'accord avec lui? Pourquoi?

2. Pourquoi le Nouveau Testament affirme-t-il que si l'on transgresse un seul commandement de Dieu, on se rend coupable de les avoir tous transgressés?

3. Etes-vous d'accord de dire que le péché est une dépendance? Pouvez-vous en donner des exemples? Quelles sont les conséquences du ou des péché(s) dont on ne peut plus se passer?

4. Quelles autres conséquences du péché la Bible donne-t-elle? Dans quelle mesure les avez-vous expérimentées?

5. Qu'a fait Dieu face au péché de l'homme? Comment savez-vous (si c'est le cas) qu'il s'est occupé des problèmes liés à votre péché?

6. Que signifie la justification? Comment la mort de Jésus l'accomplit-elle pour nous?

7. Quelle est la signification de la phrase: "Etre libéré du pouvoir du péché"? Comment peut-on savoir que le pouvoir du péché sur nous est brisé?

8. L'auteur de l'épître aux Hébreux dit qu' "il est impossible que le sang des taureaux et des boucs ôte les péchés". A quoi servait alors tout le système complexe de sacrifices décrits dans l'Ancien Testament?

9. Que répondriez-vous à celui qui vous dirait: "Dieu est injuste, car il a puni Jésus, un innocent, à notre place"?

10. Vous êtes-vous déjà dit, à l'instar de John Wimber, "Je n'ai pas l'intention de faire ça"? Quelque chose vous a-t-il fait changer d'opinion?

4

COMMENT ÊTRE CERTAIN DE SA FOI?

1. Qu'évoquent pour vous les mots "une relation avec Dieu"?

2. "Il est présomptueux d'affirmer qu'on a la vie éternelle."
   Comment répondre à cette affirmation?

3. Pourquoi est-il si important de s'appuyer sur les promesses de la Bible,
   plutôt que sur nos propres sentiments?

4. Quelles sont les promesses que Nicky met en évidence? Quelle est celle
   qui vous parle le plus? Pourquoi? (Essayez de les mémoriser.)

5. Que répondre à quelqu'un qui vous dirait: "Je fais ce que je peux pour
   vivre une vie bonne, et j'espère qu'à ma mort, Dieu me fera entrer au
   paradis"?

6. Pourquoi la mort de Jésus est-elle unique? Qu'a-t-elle accompli?
   En quoi vous affecte-t-elle?

7. Que fait le Saint-Esprit pour nous assurer de la réalité de notre foi en
   Christ? Pouvez-vous en puiser des exemples dans votre propre vie?

8. "Cette assurance n'est pas de l'arrogance". Des doutes vous empêchent-
   ils encore d'être certain de la réalité de votre foi?
   Comment ce chapitre vous a-t-il aidé à les dissiper?

5

LIRE LA BIBLE: POURQUOI ET COMMENT?

1. La méditation de la Bible est-elle pour vous un plaisir? Pourquoi?

2. Quelle est la grande différence entre la Bible et d'autres ouvrages de littérature, qu'on dit "inspirés"?

3. Pour Jésus, "paroles de l'Ecriture égalent paroles de Dieu". Partagez-vous la même croyance?

4. Des difficultés vous empêchent-elles de croire que la Bible est la parole de Dieu? Comment pourraient-elles être résolues?

5. La Bible a-t-elle déjà corrigé chez vous quelque croyance ou comportement?

6. Que dire à celui qui prétend qu'adopter la Bible comme manuel de la vie déboucherait sur une vie pleine de restrictions?

7. Nicky déclare que la Bible est aussi "une lettre d'amour". Diriez-vous cela?

8. A quoi vous attendez-vous lorsque vous lisez la Bible? Les déclarations de Nicky vous ouvrent-elles des horizons?

9. Quel(s) conseil(s) pratique(s) donneriez-vous à quelqu'un qui veut entendre Dieu en lisant la Bible?

6

PRIER: POURQUOI ET COMMENT?

1. Vos prières ont-elles déjà été suivies par des "coïncidences"?
2. "... lorsque nous prions, c'est toute la Trinité qui y participe". Comment?
3. Nicky donne plusieurs raisons pour prier. Quelle est celle qui vous parle le plus?
4. Que répondre à ceux qui "ont des objections philosophiques au concept selon lequel la prière peut changer les événements"?
5. Quelles sont "les bonnes raisons pour lesquelles nous n'obtenons pas toujours ce que nous demandons"?
6. Que comprend obligatoirement la prière?
7. Comment l'exemple de la prière du Seigneur nous guide-t-elle dans nos prières?
8. Est-il permis de prier pour nos propres besoins? A quelles conditions, selon Nicky?
9. Vous est-il difficile de prier en public? Pourquoi Nicky nous encourage-t-il fortement à persévérer dans ce domaine?
10. Pourquoi la prière est-elle "au coeur du christianisme"?

7
COMMENT DIEU NOUS GUIDE-T-IL?

1. Comment nous y prenons-nous pour prendre des décisions dans la vie?
2. Qu'est-ce qui nous empêche de nous laisser guider par Dieu?
3. Comment Dieu parle-t-il aujourd'hui?
4. Comment faire de la prière une conversation?
5. Quelle part notre bon sens joue-t-il dans la découverte de la volonté divine?
6. Quelles suggestions faire à quelqu'un qui cherche un conseiller spirituel?
7. Quelle doit être notre réaction lorsque la réponse de Dieu tarde à venir?
8. Que faire si nous pensons avoir fait de nos vies un véritable gâchis?

8
LE SAINT-ESPRIT

1. L'idée du Saint-Esprit vous fait-elle peur?
2. Quelle relation lie le Saint-Esprit et Jésus?
3. Quels parallèles peut-on établir entre les activités du Saint-Esprit au temps de la Bible et celles d'aujourd'hui?
4. Le Saint-Esprit n'agissait pas de la même manière au temps de l'Ancien Testament et au temps du Nouveau Testament (et aujourd'hui): expliquez.
5. Quelle différence y a-t-il entre être "baptisé dans le Saint-Esprit" et être "rempli du Saint-Esprit"?
6. Comment la vie d'une personne est-elle changée "une fois que des fleuves d'eau vive coulent de son sein"?
7. Quelle explication Pierre donne-t-il de ce qui est arrivé à la Pentecôte?

9

QUE FAIT LE SAINT-ESPRIT?

1. Que se passe-t-il à la "nouvelle naissance"?

2. Quelle est l'oeuvre principale du Saint-Esprit chez une personne avant sa conversion?

3. Comment Dieu nous considère-t-il après notre conversion?

4. Comment le Saint-Esprit nous aide-t-il à "développer notre relation avec Dieu"?

5. Comment le Saint-Esprit s'y prend-il pour nous transformer à l'image de Jésus?

6. Que proposez-vous pour que les chrétiens conservent "l'unité de l'Esprit"?

7. Quel est, d'après Nicky, "un des plus grands problèmes de l'Eglise en général ou universelle"? Pourquoi est-ce un problème, d'après vous? Comment peut-on y remédier?

8. Comment la famille chrétienne grandit-elle?
   Quel rôle le Saint-Esprit y joue-t-il?

9. Nicky déclare que quoique "chaque chrétien [soit] le temple du Saint-Esprit... tous les chrétiens ne sont pas remplis de l'Esprit". A quelqu'un qui vous demanderait: "Que dois-je faire pour être rempli du Saint-Esprit?", que répondriez-vous?

10

ETRE REMPLI DU SAINT-ESPRIT

1. "Idéalement, chaque chrétien serait rempli du Saint-Esprit dès le moment de sa conversion". Expliquez pourquoi, selon vous, cela n'est pas toujours le cas.

2. Quelle importance revêtent, selon vous, les expériences de la puissance du Saint-Esprit?

3. Pourquoi une juste expression de nos émotions dans notre relation avec Dieu est-elle si importante? En quoi cela diffère-t-il de l'émotivité?

4. A quoi sert exactement le don des langues?

5. "Il manque quelque chose d'essentiel aux chrétiens qui n'ont pas le don des langues." Comment répondre à cette affirmation?

6. Quel conseil donner à celui qui prie pour être rempli du Saint-Esprit, mais qui n'a pas encore reçu de réponse?

11

COMMENT RÉSISTER AU MAL

1. Pourquoi pensez-vous que "beaucoup d'Occidentaux estiment qu'il est plus difficile de croire au diable qu'en Dieu"?

2. Quels dangers y a-t-il à s'intéresser aux démons de manière excessive et malsaine?

3. Quelles sont les tactiques du diable?

4. Quelle différence y a-t-il entre la tentation du péché et le péché lui-même? Pourquoi la distinction est-elle capitale?

5. De quelle(s) manière(s) notre relation avec le diable change-t-elle quand nous devenons chrétiens? Quelles en sont les conséquences pratiques?

6. Dans Ephésiens 6, Paul mentionne six parties de "l'armure" du chrétien? En pratique, à quoi chacune se réfère-t-elle?

7. De quelles manières sommes-nous appelés à participer au combat spirituel du bien contre le mal?

12

EN PARLER AUX AUTRES: POURQUOI ET COMMENT?

1. Si l'on vous dit que le christianisme est "une affaire personnelle", quelle sera votre réponse?

2. Quels sont les "deux dangers extrêmes et opposés" décrits par Nicky?

3. Etre le "sel" et la "lumière" de ceux qui nous entourent: qu'est-ce que cela signifie en pratique?

4. Comment s'équiper pour répondre aux objections des autres à la foi chrétienne?

5. Comment "amener des gens à Jésus"?

6. "La prière est essentielle dans le témoignage chrétien." Pourquoi?

7. Comment réagir quand la réaction à notre témoignage est négative?

13

DIEU GUÉRIT-IL ENCORE AUJOURD'HUI?

1. Que faudrait-il dire à quelqu'un qui réagit avec "crainte et scepticisme" face à la guérison?

2. Que veut dire Nicky quand il affirme que le royaume de Dieu, c'est à la fois "maintenant" et "à venir"? En quoi le fait de comprendre cela peut-il nous aider à mieux cerner le sujet de la guérison aujourd'hui?

3. Les disciples ont reçu l'ordre de guérir les malades. Que répondre à quelqu'un qui croit que cette mission n'est plus valable aujourd'hui?

4. "Tous ceux pour qui nous prions ne seront pas nécessairement guéris." Pourquoi? Est-ce important?

5. Pourquoi faut-il prier "avec simplicité"?
   Quelles sont les étapes recommandées par Nicky?

6. Que dire à celui qui affirme que si telle personne n'a pas été guérie, c'est à cause de son manque de foi?

7. Pourquoi est-il important de persévérer dans la prière de guérison, même s'il n'y a pas de "résultats flagrants immédiats"?

14

QU'EN EST-IL DE L'EGLISE?

1. Quelle définition donnez-vous à "l'Eglise"?

2. Comment le mot grec en explique-t-il le sens réel?

3. Le Nouveau Testament parle de trois types de rassemblements. Lesquels? Définissez le rôle de chacun.

4. "L'Eglise est une, même si elle apparaît divisée." Comment réagir face à ce qui nous divise?

5. "... il n'y a pas de chrétien solitaire." Etes-vous d'accord? Pourquoi?

6. Comment vos frères et soeurs chrétiens peuvent-ils vous être utiles? Et, plus précisément, en quoi ont-ils besoin de vous?

7. Que signifie en pratique "le sacerdoce universel"?

8. Comment pénétrer le sens profond de la sainte cène?

9. En quoi les églises du Nouveau Testament sont-elles supérieures aux nôtres? Comment pourrait-on améliorer les choses?

15
COMMENT TIRER LE MEILLEUR PARTI DU RESTE DE SA VIE?

1. Comment le monde fait-il pour essayer de vous "coincer dans son moule"? Trouvez des moyens pour résister à cette pression.

2. "D'après la Bible, la relation sexuelle ne doit exister qu'au sein de l'engagement indissoluble d'un homme et d'une femme." Pourquoi est-ce le cas? Quel danger y a-t-il à transgresser l'ordre que Dieu a établi?

3. Que dire à ceux qui ont transgressé cet ordre, mais qui le regrettent amèrement?

4. "A moins de laisser notre saleté derrière nous, il nous est impossible de jouir des choses merveilleuses que Dieu a en réserve pour nous". Qu'est-ce que cela signifie en pratique?

5. Que dire à celui qui éprouve des difficultés à croire que "Dieu nous aime tels que nous sommes"?

6. Comment découvrir les priorités divines pour notre vie?

7. Que faut-il faire quand nous découvrons un domaine de notre vie qui n'a pas encore été donné à Dieu?

8. Comment avez-vous expérimenté cette vérité selon laquelle "notre foi peut impliquer des sacrifices"? Est-ce que cela en valait le prix?

9. "Dieu nous aime et veut pour nous le meilleur". Pourquoi est-ce parfois difficile à croire?

10. Comment mettre en pratique la recommandation de la Bible: "regarder à Jésus"? En quoi cela nous aide-t-il dans notre vie chrétienne?

Manuel *Alpha*

Pour l'usage de tous les participants
du cours Alpha. Contient les note
des messages et des illustrations.

Manuel
du Responsable *Alpha*

Pour tous les responsables et les aides
du cours Alpha. Suggestions de
questions pour les groupes de partage
pour chaque semaine et versets bibliques
clés inclus.

"Pourquoi Jésus?"

Brochure d'évangélisation distribuée à
chaque participant au début du cours
Alpha ou pour accueillir les nouveaux
venus dans votre église ou encore lors
du souper de conclusion du cours Alpha.